Dr Richard C. Woolfson

Bébé malin

HACHETTE
Pratique

SOMMAIRE

Bébé malin

Première édition en langue anglaise par Hamlyn,
(Grande-Bretagne, 2001)
© 2001, Octopus Publishing Group Limited
Traduction : Sabine Boullongne
Conception et mise en page : Nelly Benoit

INTRODUCTION

Pourquoi stimuler son enfant

La première année de votre enfant, fondement de son développement ultérieur, est une période riche en expériences pour lui comme pour vous. Il vient au monde avec un esprit curieux, prêt à explorer et à découvrir, et ses aptitudes ne cessent de se multiplier et de s'amplifier durant cette phase initiale. Le bébé dynamique et entreprenant est animé d'un besoin naturel d'apprendre. Sa curiosité paraît insatiable, comme vous vous en apercevrez jour après jour.

Vous l'aiderez beaucoup à progresser en lui apportant amour, attention et stimulation afin d'en faire un bébé éveillé !

Curieux par nature

Dès la naissance, votre enfant manifeste son désir d'apprendre. Il veut comprendre le monde qui l'entoure et fait tout ce qu'il peut pour l'explorer. Certes, au cours des premières semaines, il contrôle à peine les mouvements de ses mains, de ses membres et de son corps, ce qui ne l'empêche pas de se constituer activement un savoir.

Ainsi, il regarde avec intérêt une personne et une chose approchant de lui, goûte à tout ce qu'on lui met dans la bouche et agrippe un petit objet glissé dans sa main. Débutant enthousiaste, il recourt à toutes les aptitudes qu'il possède pour étendre ses connaissances, à 1 mois comme à 1 an.

Au bout de quelques jours, le nouveau-né fixe son regard sur un objet à portée de sa vue.

Il est très important de parler à votre enfant et d'échanger des regards avec lui. Profitez par exemple du moment où vous le changez.

Grâce à ce désir naturel d'explorer et de découvrir, l'enfant est prédisposé à s'améliorer et recherche continuellement de nouveaux défis et des occasions d'apprendre. Livré à lui-même dans son berceau, un bébé de 1 mois tirera sa couverture vers son visage pour l'examiner de plus près, la tâtera, la mâchonnera même. À 6 mois, il fera de son mieux pour ramper dans le but d'atteindre un objet qui l'intrigue. Vers 1 an, il fera ses premiers pas dans la maison pour explorer des endroits inaccessibles jusqu'alors.

Ces tentatives d'apprentissage volontaire vous enchanteront et vous serez fier de l'enthousiasme inépuisable de votre enfant et de son habileté croissante. Cela ne veut pas dire que vous devez vous tourner les pouces et laisser faire. S'il se débrouille si bien seul, imaginez ce qu'il accomplira avec votre aide !

Conseils malins

1. **Souvenez-vous qu'il a soif d'apprendre.** On oublie facilement qu'un enfant apprend à tout instant, même si on ne fait rien de particulier pour le stimuler. Il découvre des choses chaque jour grâce à votre seule compagnie.

2. **Considérez la stimulation comme un échange.** Même tout petit, l'enfant est loin d'être passif. Attendez qu'il vous montre qu'il a compris avant de passer à une autre activité.

3. **Choisissez judicieusement ses activités.** Vous serez peut-être tenté de lui confier un jouet adapté à un enfant plus grand pour accélérer ses progrès. Cela peut avoir l'effet inverse. Choisissez toujours des activités qui sont à son niveau.

4. **Riez avec lui.** Si l'éveil est une affaire sérieuse, il faut que vous ayez tous les deux du plaisir, sinon vous vous désintéresserez vite l'un de l'autre. Souriez-lui et riez avec lui autant que possible.

5. **Soyez fier de ses progrès.** Réjouissez-vous de chaque nouvelle aptitude acquise, de chaque pas franchi. Aimez-le tel qu'il est sans le comparer aux autres bébés de son âge.

L'importance de la stimulation

Stimuler votre enfant, en vous inspirant des idées et des activités suggérées dans cet ouvrage, favorisera son développement. Rien ne remplacera le désir naturel qu'il éprouve de devenir un bébé éveillé, mais vous pouvez certainement l'encourager. Des activités stimulantes auront un effet déterminant dans les domaines suivants :

• **Éveil.** Le fait de passer du temps avec lui dans une ambiance chaleureuse et affectueuse lui est favorable. Ces activités vous rapprochent et toute cette attention réussit à votre enfant. Il apprendra mieux s'il est à l'aise, détendu plutôt que s'il se sent seul et s'ennuie.

• **À portée de main.** Si le bébé joue spontanément avec tout ce qu'il touche, sa faible coordination œil-main et ses mouvements limités l'empêchent d'atteindre la plupart des choses. En rapprochant de lui jouets et autres objets, vous éliminez ces barrières naturelles.

• **Des aptitudes accrues.** Vous pouvez lui enseigner de nouvelles manières de s'amuser avec des jouets familiers. Si vous lui montrez qu'un hochet fait du bruit quand on le secoue, il assimilera cette information et aura envie de jouer avec cet objet car il aura associé le jouet et le son qu'il produit.

La fascination de cette petite fille pour l'eau qui coule montre à quel point il est aisé de stimuler un enfant à tout moment, y compris dans son bain.

Comment utiliser ce guide

Vous stimulerez mieux votre enfant si vous comprenez bien son évolution. Une fois les schémas clés de la croissance identifiés, vous serez en mesure d'orienter ses activités de manière plus spécifique. Vous déciderez peut-être de mettre l'accent sur ses aptitudes linguistiques, ou sa coordination œil-main, mais sachez que tous les champs du développement sont liés. Un progrès obtenu dans une sphère influe sur les autres. Mieux vaut choisir une approche globale plutôt que de s'attacher à chaque aspect séparément. Les idées et les

Chaque enfant maîtrise à son rythme de nouvelles aptitudes. Tâchez de ne pas comparer ses progrès avec ceux des autres. Laissez-le suivre son propre développement.

suggestions fournies dans cet ouvrage offrent une stratégie complète pour stimuler votre bébé.

Mode d'emploi

Il existe différentes manières de définir le développement du bébé. Ce guide aborde cinq thèmes principaux, et chaque chapitre se concentre sur l'un d'entre eux, même si ces domaines sont toujours liés :

- **La motricité.** Il s'agit de l'aptitude du bébé à remuer ses bras, ses jambes et son corps de façon coordonnée et délibérée. À la naissance, la motricité est extrêmement limitée ; l'enfant reste à peu près au même endroit à moins qu'on ne le déplace. Dès 15 mois, il marche et peut ainsi aller où il veut, y compris en haut et en bas d'un escalier.

• **La coordination œil-main.** Le nouveau-né ne contrôle pas très bien le mouvement de ses mains. Il ne parvient pas encore à attraper un jouet proche de lui ou un petit objet. Au cours de l'année suivante, sa coordination œil-main s'améliore au point qu'il peut sans difficultés tendre les mains vers un jouet et le saisir.

• **Le langage.** Pendant deux mois au moins, l'enfant ne forme pas de sons identifiables. Pleurer est alors le seul moyen à sa disposition pour communiquer avec vous. Au cours des quinze mois suivants, il progressera peu à peu, du gazouillis aux voyelles et consonnes prononcées au hasard, jusqu'à ce qu'il arrive à ce stade merveilleux où il articule son premier mot. Un moment magique !

• **L'apprentissage.** Votre enfant est prédisposé à apprendre, même s'il n'en est encore qu'au point de départ de tout le processus. Il n'a pas encore intégré les concepts de base comme celui d'action-réaction (un hochet agité produit un son) ou de la permanence des objet (si une balle roule derrière un fauteuil, elle ne disparaît pas complètement). Mais à l'âge de 1 an, il a déjà compris énormément de choses.

• **Le bébé et les autres.** Votre enfant est une personne très sensible qui dépend entièrement de vous sur le plan affectif. Il veut que vous soyez constamment auprès de lui : pour le nourrir, le changer et l'habiller, mais aussi pour qu'il se sente en sécurité. Son attachement à vous est vital. Au cours des quinze premiers mois, sa confiance en lui s'affermit et il devient plus sociable.

Dès qu'il peut saisir un objet, le bébé l'explore instinctivement avec ses mains et sa bouche.

Une vue d'ensemble

Si ces aspects du développement de l'enfant font l'objet de chapitres distincts, ils sont indissociables. Il est en effet important que vous ayez une vue d'ensemble des progrès de votre bébé, au lieu de vous concentrer sur une seule dimension à la fois. En lui parlant, par exemple, vous l'encouragez à découvrir le langage tout en favorisant son développement affectif. Grâce à votre attention, il se sent aimé. Si vous déposez un jouet juste au-delà de sa portée, vous l'aidez à améliorer le contrôle de ses mains et de ses mouvements, sa vision et sa concentration. Si vous lui donnez un petit puzzle à assembler, vous favorisez à la fois son éveil intellectuel, son contrôle manuel et sa confiance en lui s'il parvient à le terminer.

Toutes les activités proposées dans cet ouvrage ont un impact sur les différents aspects du développement, et contribuent ainsi aux progrès de votre enfant. Chaque chapitre peut être consulté séparément ou en relation avec n'importe quel autre. Libre à vous de choisir une activité au hasard ou de l'inclure dans un programme complet que vous aurez établi. Souvenez-vous que chaque jeu ou activité favorise le développement global de votre enfant.

Conseils malins

1. **Comprenez son développement.** Vous choisirez plus judicieusement les activités décrites dans cet ouvrage si vous avez une vision globale des progrès dont votre enfant est capable. La première moitié de ce guide vous permet de faire le point.

2. **Variez les plaisirs !** Vous vous amuserez mieux tous les deux avec un programme d'activités variées, touchant à un grand nombre de domaines. Évitez de vous concentrer sur un seul aspect de son développement à la fois.

3. **Soyez à l'écoute de votre enfant.** Vous le connaissez mieux que quiconque et percevez bien son rythme de développement. Choisissez des activités appropriées à son niveau, même si elles diffèrent de celles proposées pour son âge.

4. **Adaptez les activités au fur et à mesure.** Les suggestions qui vous sont faites ne sont pas des consignes strictes. N'hésitez pas à les adapter aux besoins de votre enfant, aux jouets dont il dispose et à son niveau de développement.

5. **Utilisez cet ouvrage comme un guide et non comme un mode d'emploi.** Il ne s'agit pas d'appliquer les suggestions à la lettre, mais de rester souple et spontané.

Quelle attitude adopter

Votre attitude vis-à-vis des progrès de votre bébé a une influence déterminante sur son éveil et sur votre relation avec lui. Il est essentiel de trouver un équilibre entre l'excès et le manque de stimulation, sachant qu'en règle générale l'enfant pâtit de l'un autant que de l'autre. Si vous ne l'encouragez pas suffisamment, il risque de devenir agité, de s'ennuyer, ce qui ne favorise pas son développement. À l'inverse, un excès de zèle pourrait le fatiguer, le rendre triste et irritable.

À vous de définir le niveau de stimulation adapté à ses besoins et à ses aptitudes pour favoriser sa motivation.

Une juste mesure

Essayez d'avoir une attitude modérée, car il n'est pas bon qu'il ait trop de stimulations ou pas assez. Bien sûr, comme tous les parents, vous voulez agir au mieux afin que votre enfant soit éveillé. Mais ne tombez pas dans le piège qui consiste à croire qu'il vaut mieux en faire trop que pas assez. Si vous pensez que vous le poussez à l'excès – parce que vous avez reconnu certains des signes répertoriés page 15, prenez du recul et révisez votre programme d'activités. Il en va de même si vous craignez de ne pas avoir suffi-samment stimulé votre bébé.

En comprenant la personnalité de votre enfant, vous saurez mieux juger l'ampleur et le type de stimulation dont il a besoin.

Le meilleur moyen de savoir si vous avez trouvé un bon équilibre est d'observer votre enfant. S'il est motivé et s'amuse avec ses jouets et ses jeux, s'il a une mine réjouie et réagit positivement lorsque vous jouez avec lui, vous pouvez être presque sûr que vous avez visé juste.

Cinq indices d'un manque de stimulation

Si votre enfant n'est pas assez stimulé, il présentera peut-être un des signes suivants :

1. **Manque d'enthousiasme.** Une stimulation insuffisante réduit sa motivation et son niveau d'activité. Il est tellement habitué à ne rien faire qu'en définitive il se satisfait de rester couché dans son lit. Il préfère l'inactivité.

2. **Passivité.** Un bébé qui manque de stimulation devient vite passif, même si on lui propose des jouets et des activités. Il jettera peut-être un coup d'œil aux objets qui attirent son attention, mais s'en désintéressera vite.

3. **À fleur de peau.** Il préfère une ambiance calme. En conséquence, il devient nerveux et agité quand des événements perturbent son quotidien. Par exemple, il éclatera en sanglots si quelqu'un essaie de jouer avec lui.

4. **Manque d'expression.** Son apathie se manifeste autrement. Son visage est moins expressif, ses sourires moins radieux ; son regard n'est pas malicieux. Ses gestes aussi sont moins dynamiques.

Conseils malins

1. **Ne vous forcez pas à jouer avec votre enfant.** Si la journée a été rude et si vous êtes trop fatigué pour jouer encore avec lui, arrêtez ! Il est probablement aussi fourbu que vous et préférerait se reposer lui aussi.

2. **Laissez-le jouer seul.** Il a besoin de moments dans la journée pour explorer, jouer, faire des découvertes sans que vous dirigiez ses activités. Offrez-lui chaque jour la possibilité de le faire.

3. **Observez-le quand il joue.** S'il s'amuse avec le même jouet jour après jour d'une manière répétitive et sans aucun changement, à vous d'intervenir pour l'aider à développer ses aptitudes à travers le jeu.

4. **Participez sans dominer !** Il y a une différence entre jouer avec lui et prendre les choses en main. Proposez-lui de nouvelles idées, mais n'oubliez pas que c'est lui qui joue et non vous !

5. **Amusez-vous.** Il faut que vous vous fassiez plaisir tous les deux. Si l'un de vous se lasse, c'est peut-être à cause d'un excès ou d'un manque de stimulation.

5. Résignation. La plupart des bébés pleurent de temps en temps pour montrer qu'ils ne sont pas contents. Un bébé qui manque de stimulation pleure moins souvent parce qu'il ne réagit pas autant que les autres à l'inconfort. Il est plus facilement satisfait.

Cinq indices d'un excès de stimulation

Si votre enfant est trop stimulé, il présentera peut-être les signes suivants :

1. Irritabilité. Comme chacun, votre bébé sera grincheux s'il y a trop de bruit ou d'agitation autour de lui. Il n'aime pas être bombardé d'activités du matin au soir.

2. Faible concentration. La concentration d'un enfant n'est pas constante. Une surstimulation la réduira encore : vous vous apercevrez que son attention passe constamment d'un jouet à l'autre.

3. Fatigue. Pour finir, la lassitude apparaît. Votre bébé ne tend même plus la main vers le nouveau jouet que vous lui avez apporté : il se contente de le regarder fixement. Il a été assez stimulé pour le moment.

4. Agitation. Un excès de stimulation limite le besoin de penser. L'enfant n'a plus à chercher à s'amuser ou à explorer par lui-même. En conséquence, il gigote jusqu'à ce que vous le stimuliez à nouveau.

5. Difficulté à s'endormir. Pour s'endormir, l'enfant doit être apaisé et détendu. Trop stimulé, il demeure très actif à l'approche du coucher et a du mal à se calmer. Son sommeil est perturbé.

LE DÉVELOPPEMENT DE VOTRE ENFANT

L'inné et l'acquis

Votre position vis-à-vis de l'inné et de l'acquis affecte vos relations avec votre enfant. Selon la thèse de l'inné, sa personnalité, ses aptitudes et ses caractéristiques naturelles déterminent l'individu qu'il deviendra ; votre apport en qualité de parent aurait donc peu d'impact. À l'inverse, l'argument de l'acquis soutient que ses progrès dépendent de la manière dont vous l'élevez, et du niveau de stimulation dont il bénéficie durant son enfance. Vous choisirez peut-être un juste milieu en attribuant une importance égale à ses talents innés et à l'environnement dans lequel il grandit.

Le débat sur l'inné et l'acquis

Le débat entre l'inné et l'acquis oppose ainsi l'hérédité et l'environnement. Le concept d'inné fait référence aux caractéristiques dont le bébé dispose à la naissance, même si elles ne sont pas flagrantes à un stade aussi précoce. De nombreux traits physiques sont légués par les parents et conditionneraient certains aspects du développement. La structure génétique de votre enfant détermine la couleur de ses yeux et de ses cheveux, ainsi que sa taille et même son poids naturel.

Selon l'argument de l'inné, dans la mesure où nous héritons de nombreuses qualités physiques, des particularités psychologiques pourraient elles aussi nous être transmises par ce biais. C'est la raison pour laquelle les enfants ont parfois une personnalité et des manières similaires à celles de leurs parents.

Dès sa naissance, votre enfant manifestera sa personnalité, jusque dans la façon dont il préfère être porté.

Si des traits physiques peuvent être légués au moment de la conception et présents à la naissance, peut-être l'enfant hérite-t-il aussi d'un certain schéma de développement.

La notion d'acquis suggère au contraire que la plupart des caractéristiques de l'enfant sont influencées par l'environnement, notamment par la manière dont il est élevé au sein de sa famille. Par exemple, des parents intelligents feront de la stimulation une priorité et auront en général des bébés plus éveillés. Si vous êtes sensible aux autres, vous apprendrez à votre enfant à manifester une attention similaire vis-à-vis d'autrui. Certains poussent cet argument plus loin encore en affirmant qu'aucun trait individuel n'est transmis à la naissance. Chaque nouveau-né serait une *tabula rasa* (table rase) où s'inscrivent ses progrès au fur et à mesure des expériences.

Une action réciproque

Rares sont les spécialistes du développement de l'enfant qui adoptent une position extrême dans ce débat. En règle générale, on estime que si chaque nouveau-né dispose d'un potentiel basé sur sa structure génétique, c'est l'interaction entre ses aptitudes innées et l'environnement dans lequel il grandit qui influence son

● Conseils malins

1. Impliquez-vous. Personne ne peut évaluer l'impact que vous aurez sur votre enfant, mais le bon sens et l'expérience vous prouveront qu'il est très sensible à votre comportement à son égard.

2. N'attendez pas trop de lui. Mais si vous pouvez influer sur le développement de votre enfant, il y a peu de chances qu'il fasse des exploits du jour au lendemain ! Attendez-vous à ce qu'il progresse pas à pas et vous ne serez pas déçu.

3. Traitez chaque enfant individuellement. Votre bébé a peut-être les mêmes parents et vit dans le même environnement que ses frères et sœurs, mais il réagit à sa manière. Le développement, loin d'être prévisible, varie d'un enfant à l'autre.

4. Réjouissez-vous de ses progrès. Savourez chaque nouvelle aptitude et découverte de votre enfant, qu'elle procède de l'inné ou de l'acquis. Il sera fier de lui et cela l'incitera à continuer à s'améliorer.

5. Stimulez-le quoi qu'il en soit. L'incapacité des spécialistes à déterminer l'effet que vous avez sur le développement de votre enfant ne devrait pas vous dissuader d'entreprendre les activités qui vous sont proposées dans cet ouvrage.

développement. De nos jours, l'inné et l'acquis ne s'excluent plus l'un et l'autre dans les esprits. On s'efforce plutôt de déterminer la contribution relative de chacun à la croissance et aux progrès de l'enfant. Des preuves étayent l'une et l'autre des thèses.

Des études portant sur des jumeaux séparés à la naissance et adoptés par des familles distinctes ont révélé d'étonnantes similitudes entre les personnalités et les aptitudes des deux individus en dépit d'une éducation différente. En outre, on a démontré l'existence de qualités communes entre des enfants adoptés et leurs parents naturels. Ces données scientifiques renforcent considérablement la thèse de l'inné.

La manière dont vous stimulez et encouragez votre enfant durant les premiers mois est déterminante.

Cependant, dans de nombreux cas, l'environnement peut influencer directement des traits physiques *incontestablement* hérités. Prenons l'exemple de la taille : un enfant a peut-être le potentiel génétique d'atteindre une haute stature, mais il n'y parviendra pas s'il est sous-alimenté pendant sa petite enfance. D'autres facteurs, tels que la santé, la pauvreté, les valeurs familiales ont un impact comparable. On a démontré que les enfants élevés au sein d'une famille où la violence est la norme sont plus agressifs dans leurs relations.

Le développement de votre enfant est une combinaison de tous ces facteurs et de leur action réciproque à chaque instant de sa vie. De ce fait, le rôle de parent ne consiste certainement pas à attendre passivement que le programme génétique se mette en place. Ce que vous entreprenez avec votre enfant a un effet décisif sur son évolution à long terme.

Rang de naissance et personnalité

Il y a un lien entre la place de votre bébé dans la famille et son développement ultérieur. En d'autres termes, ses progrès durant l'enfance sont influencés dans une certaine mesure par le fait qu'il soit l'aîné, le benjamin, enfant unique, etc.
Des recherches confirment que certaines caractéristiques – notamment le tempérament, l'aptitude à apprendre, à résoudre des problèmes, la sociabilité et la confiance en soi – sont associées à la position au sein d'une fratrie.
Souvenez-vous toutefois que c'est seulement un facteur parmi d'autres agissant sur le développement de votre enfant, et que ses effets peuvent être modifiés par la manière dont vous l'élevez.

Les jeunes frères et sœurs apprennent beaucoup en observant leurs aînés, en jouant et en se mesurant à eux.

Des caractères typiques

Des études psychologiques ont mis en évidence certains éléments clés :
• **Les aînés ont tendance à être plus éveillés que leurs frères et sœurs, et à penser clairement et rationnellement.** Ils ont plus de chances de bien réussir dans la vie.
• **Les seconds enfants se soucient moins des règlements.** Ils se rebiffent facilement et préfèrent défier les conventions. Ils frisent souvent la désobéissance.

• **Les benjamins sont les plus à même de supporter le stress et les tensions de l'existence.** Ils sont généralement sûrs d'eux et capables de régler les problèmes par eux-mêmes sans demander de l'aide.

• **Les cadets, souvent d'humeur égale, ont l'art de régler les litiges sans heurt.** Ils ont fréquemment une attitude protectrice vis-à-vis de leur aîné comme de leur cadet et se sentent parfois exclus.

• **Les enfants uniques s'entendent bien avec les adultes.** Il y a des chances qu'un enfant unique se suffise à lui-même ; lorsqu'il se mêle aux autres, il manifeste des aptitudes de leader.

L'influence de la place dans la famille

En y réfléchissant, on comprend facilement pourquoi la position de chacun au sein de la famille a un effet déterminant. Prenons l'exemple de l'aîné. Il vous a eu pour lui tout seul dans les premiers temps ; il avait peut-être deux ans, voire plus quand le deuxième enfant a fait son apparition. Cela signifie qu'au début vous lui avez consacré tout votre temps disponible pour le stimuler sans avoir à partager vos efforts avec un bébé. Étant donné l'attention dont il a fait l'objet, il n'est pas surprenant qu'il soit si éveillé et motivé.

Le fait que les enfants nés plus tard aiment enfreindre les lois et à choquer plutôt qu'à se soumettre tient probablement à leur volonté de se démarquer de leur frère, ou sœur, plus âgé. Le deuxième de la famille veut choisir sa destinée ; il refuse d'être dans l'ombre de son aîné si accompli, et le meilleur moyen d'éviter ce piège, dans son esprit, consiste à prendre une tout autre voie.

Si les plus jeunes sont généralement les plus indépendants, c'est souvent par nécessité. Il n'y a rien de mieux pour aiguiser les instincts de survie d'un enfant que la perspective d'être perpétuellement le petit dernier !

Il est important de répartir équitablement entre vos enfants les moments seul à seul, même s'il y a toutes sortes d'occasions de s'amuser tous ensemble.

Les aînés dominent souvent leurs jeunes frères et sœurs. Il est parfois nécessaire d'intervenir.

Limitez les dégâts !

Efforcez-vous de comprendre comment la place de votre enfant dans la famille peut favoriser son développement. Vous éviterez ainsi que ce facteur ait un impact néfaste sur lui. Mettez-vous à sa place et imaginez quel effet cela peut faire d'être dans cette position particulière au sein de la famille.

Ensuite, faites ce que vous pouvez pour empêcher que cette situation ait une influence dispro-portionnée sur son existence. Par exemple, donnez-vous la peine de passer du temps à stimuler spécifiquement votre cadet, même si vous devez désormais prendre soin de deux enfants.

Ne partez pas du principe que l'aîné doit être responsable des autres lorsqu'ils jouent tous ensemble. Laissez quelquefois à votre benjamin le choix du programme de télévision pour toute la famille.

Conseils malins

1. Intéressez-vous aux progrès de chacun. Tout enfant a besoin de se sentir estimé par ses parents. Les pas franchis par votre benjamin sont essentiels à ses yeux, même si vous êtes déjà passé par ce stade avec ses aînés.
2. Encouragez les penchants naturels de votre enfant. Le cadet rêve peut-être de réussir aussi bien à l'école que son frère aîné.

Dans ce cas, il mérite votre soutien.
3. Chacun son tour ! Les aînés ont tendance à penser qu'ils ont le droit d'avoir la première place en toute circonstance. De temps à autre, c'est au plus petit de recevoir un nouveau jouet.
4. Écoutez-les. Prenez l'enfant « du milieu » au sérieux s'il vous dit que son aîné a plus de libertés que lui et que sa petite sœur est

plus gâtée. Laissez-le exprimer ses sentiments et montrez-lui que vous l'écoutez.
5. Louez l'effort autant que la réussite. L'important est que chaque enfant fasse de son mieux. Certes, vous êtes ravi si l'un d'eux obtient d'excellents résultats, mais cela ne devrait pas vous empêcher de vous réjouir des efforts des autres.

Les rivalités entre frères et sœurs

Dès la naissance d'un deuxième enfant – en fait, dès que l'aîné se rend compte qu'il va avoir un petit frère ou une petite sœur, vous devez prendre en compte l'éventualité d'une rivalité. La jalousie entre frères et sœurs est si fréquente que la plupart des psychologues l'estiment normale, puisqu'il s'agit de partager le temps et l'attention des parents. L'intensité de la rivalité dépend de nombreux facteurs, notamment de la différence d'âge, des méthodes employées pour résoudre ces conflits et du type de relations que vous entretenez avec eux.

Laissez votre enfant faire connaissance avec son nouveau petit frère car il faut qu'il se sente impliqué autant que possible dès son arrivée.

La concurrence entre frères et sœurs

La jalousie se manifeste de différentes manières. Par exemple, un bambin de 2 ans se renfermera sur lui-même et deviendra très irritable à la naissance de sa petite sœur. Un enfant de 4 ans se plaindra que son cadet de 2 ans lui prend constamment ses jouets sans demander la permission. Cette rivalité n'est pas l'apanage de l'aîné. Des recherches ont démontré que les deuxième et troisième enfants de la famille peuvent eux aussi en vouloir au nouveau bébé, même s'ils sont déjà habitués à cohabiter avec d'autres. Il arrive que les plus petits soient jaloux de leurs aînés : votre enfant de 15 mois éclatera peut-être en sanglots s'il vous voit cajoler sa grande sœur, parce qu'il voudrait s'approprier tout votre amour.

C'est quand le benjamin atteint l'âge de 3 ou 4 ans – lorsqu'il fait un sérieux effort pour s'affirmer, que cette rivalité risque de se manifester, un frère ou une sœur aîné étant alors considéré comme une menace. Vers 2 ans, il exprimera sans doute sa jalousie en frappant l'autre plutôt qu'en lui parlant. Ne vous étonnez pas des différences de réaction entre vos enfants en matière de concurrence. Il se peut que l'un d'eux se préoccupe de tout ce que fait son frère et qu'un autre s'en désintéresse complètement.

La différence d'âge entre vos enfants peut aussi influer sur l'intensité de leur jalousie. Des études ont montré que la concurrence est particulièrement forte

● Conseils malins

1. Évitez les comparaisons. Il n'y a rien de mieux pour provoquer rivalités et rancœur que de dire à un enfant que son frère ou sa sœur est plus intelligent, plus responsable ou plus serviable que lui.

2. Encouragez vos enfants à coopérer. Suggérez-leur de jouer ou de ranger ensemble. Regardez-les faire afin que vous leur appreniez à mieux collaborer.

3. Aidez-les à résoudre leurs différends. Au lieu de vous fâcher parce qu'ils se disputent sans arrêt, incitez-les à parler tranquillement de leurs désaccords. Mieux vaut discuter que de se battre pour trouver une solution.

4. Occupez-vous de chacun individuellement. Cela ne veut pas dire que vous devez avoir les mêmes rapports avec tous. Efforcez-vous de répondre à leurs besoins spécifiques selon la situation.

5. Félicitez-les quand ils jouent ensemble. Si vos enfants s'entendent bien, dites-leur que cela vous fait plaisir et que l'ambiance est bien plus agréable lorsqu'ils ne se chamaillent pas.

lorsqu'il y a 18 mois à 2 ans d'écart entre des frères et sœurs, et qu'elle s'amoindrit à mesure que cet écart grandit ou se réduit. Si l'aîné est très jeune à la naissance du deuxième, il remarquera sans doute à peine sa venue parce qu'il ne se soucie encore que de lui-même. S'il a plusieurs années de plus à l'arrivée de son cadet, il ne se sentira probablement pas menacé par sa présence dans la mesure où il a déjà construit de bonnes relations et établi une routine quotidienne.

Encouragez vos enfants à jouer ensemble et à coopérer, y compris dans la vie de tous les jours.

Quand il n'est qu'un bambin !

C'est l'écart intermédiaire qui pose le plus de problèmes. En règle générale, l'enfant qui commence à marcher veut que le monde tourne autour de lui. Il risque d'être perturbé par la venue d'un bébé parce que celui-ci a besoin de beaucoup d'attention.

Si vous attendez un deuxième enfant alors que l'aîné est à l'âge de marcher, expliquez-lui la situation dès que votre grossesse est visible, vers le quatrième ou cinquième mois. Dites-lui que le bébé l'aimera et que vous continuerez à l'aimer tout autant. Il a besoin d'être rassuré : répondez sans détour à toutes ses questions. Laissez-le acheter un cadeau pour le bébé et faites en sorte que le nouveau venu ait lui aussi un cadeau pour lui dès leur première rencontre (vous emporterez le paquet avec vous à l'hôpital).

Souvenez-vous que votre aîné a besoin d'être aimé et estimé, surtout quand le bébé est le centre d'attention. Même s'il n'est pas toujours facile de s'occuper simultanément d'un nourrisson et d'un jeune enfant, tâchez de trouver du temps pour être seul chaque jour avec le plus grand.

Filles ou garçons

Les différences entre filles et garçons sont d'ordre biologique, mais aussi psychologique. On a souvent des préjugés inexacts à ce sujet. Certains prétendent par exemple que les garçons pleurent plus que les filles. En fait, rien ne les distingue à cet égard, mais la voix plus profonde des garçons peut donner cette impression. On dit aussi que les filles sont plus fragiles. En réalité, les embryons de sexe féminin sont plus robustes et moins susceptibles de faire l'objet d'une fausse couche. Il est important de faire la part des choses dans ce domaine car vos attentes influenceront le développement de votre enfant.

Quelques faits indéniables

Voici un certain nombre de données irréfutables relatives au sexe jusqu'à l'âge de 15 mois :

Ce petit garçon semble plus empressé de toucher la petite fille qu'elle ne l'est elle-même.

• **Un garçon est généralement plus entreprenant qu'une fille et prendra davantage de risques.** Il semblerait toutefois que les parents acceptent tacitement ce type de comportement chez leur fils et non chez leur fille, de sorte qu'ils encouragent indirectement ces différences.

• **Les garçons ont souvent plus de problèmes au cours de leur développement,** et les filles prononcent généralement leur premier mot avant eux.

Elles ont aussi, a priori, une meilleure coordination œil-main au cours de la première année.

• **Les parents réagissent différemment selon le sexe de l'enfant. Par exemple, ils tolèrent mieux un comportement agressif de la part d'un garçon et s'empressent de le réprimer chez une fille.** Très vite, le bébé est conscient de la différence entre les sexes. Dès l'âge de 3 mois, il sait faire la distinction entre le visage d'un homme et d'une femme. Par exemple, si on lui montre des dizaines de photos de femmes, il s'en désintéressera progressivement, mais dès qu'il verra le visage d'un homme, il se concentrera à nouveau.

En quelques mois, son aptitude à discerner un sexe d'un autre s'étend des visages aux voix. Des chercheurs ont montré à des bébés une série de photos d'hommes et de femmes, accompagnées de voix masculines et féminines. Quand les deux éléments coïncident, l'enfant regarde plus longtemps la photo. Dès 6 mois, votre bébé est à même de distinguer les hommes et les femmes d'après leur voix.

Si ses parents ne l'en dissuadent pas, un petit garçon aura plaisir à jouer avec des poupées et des peluches, tout comme les filles joueront volontiers avec des trains.

À 1 an, il préférera probablement jouer avec des enfants de son sexe s'il a le choix. Une étude a prouvé qu'un enfant de cet âge fait la distinction, même si tous les petits de son entourage portent des vêtements unisexes.

La différence entre les sexes

Le fait est qu'il existe des différences biologiques entre filles et garçons. Ainsi, pendant la grossesse et à la naissance, les garçons ont un taux plus élevé de testostérone, hormone favorisant l'agressivité et l'activité. Certains scientifiques affirment que les femmes étant physiquement préparées pour porter les enfants, contrairement aux hommes, elles ont forcément un instinct protecteur et domestique. Ce serait la raison pour laquelle les filles préfèrent les poupées aux activités plus casse-cou des garçons.

Autre explication : ces différences seraient acquises. Par exemple, rares sont les parents qui qualifient leur fils de « joli » et l'habillent en rose ! À en croire certains théoriciens, les différences entre les sexes seraient renforcées par l'attitude des parents à cet égard.

Il n'y a pas de réponse précise en la matière. Logiquement, la distinction entre les garçons et les filles se fonde sur des facteurs biologiques, mais on reconnaît que l'influence parentale joue aussi un rôle. On peut en fait penser que ces éléments ont une influence réciproque.

● Conseils malins

1. Soyez conscient de votre propre attitude. Réfléchissez à votre comportement vis-à-vis des filles et des garçons. Préparez-vous à encourager votre petite fille autant qu'un garçon lorsqu'elle entreprend d'explorer.

2. Donnez-leur un large éventail de jouets. Inutile de priver votre fils de peluches et de poupées pour les réserver à sa sœur. Ne vous inquiétez pas s'il s'intéresse à des objets normalement réservés aux filles.

3. Soyez aussi affectueux avec les garçons qu'avec les filles. Votre fils apprécie autant que sa sœur les câlins et les marques d'affection. Quelle que soit sa personnalité, il veut votre attention et réclame beaucoup de tendresse !

4. Ayez confiance en vous. Fiez-vous à votre intuition et ne vous souciez pas de ce que disent les autres à propos du comportement présumé des filles et des garçons. Il n'y a pas de règle. À vous de décider.

5. Donnez le bon exemple. Le point de vue de votre enfant sur la question du sexe est influencé par votre attitude. Si seules des femmes le changent et jouent avec lui, il pensera que ces activités leur sont réservées !

Les grands-parents

Vos parents peuvent jouer un rôle important dans la vie de votre enfant. Ils seront sûrement ravis de lui consacrer leur amour, leur attention et leur énergie, et se réjouiront de chaque occasion de passer du temps en sa compagnie. Cette relation favorisera le développement de votre bébé et vous serez sans doute content que vos parents vous donnent un coup de main. Ils ont déjà élevé des enfants et auront envie de partager leur expérience avec vous pour vous aider à mieux gérer la situation. Certes, il arrive qu'ils deviennent trop envahissants, mais on peut le plus souvent régler ce problème en faisant preuve d'un peu de diplomatie.

Un attachement particulier

On considère généralement que les grands-parents sont trop indulgents et disposés à gâter leurs chers petits-enfants autant que possible. Des études psychologiques

Les grands-parents peuvent apporter une contribution précieuse en s'occupant parfois de leurs petits-enfants.

ont cependant démontré que la réalité est plus complexe. De nos jours, ils sont souvent grands-parents plus tôt qu'autrefois (la quarantaine ou le début de la cinquantaine), et donc en bonne forme physique, dynamiques et souvent professionnellement actifs. De ce fait, ils ont moins de temps libre à passer avec vos enfants. D'un autre côté, de plus en plus d'enfants vivent désormais avec leurs grands-parents, parfois en l'absence des parents, auquel cas ils sont les seuls à s'occuper d'eux.

Votre bébé est ravi quand vos parents vous rendent visite. Sa joie est visible. Toutefois, des liens plus forts s'établiront entre eux s'ils passent du temps seuls ensemble, sans vous. Ce n'est pas que vos parents soient inhibés en votre présence, mais leur petit-fils ou petite-fille leur accordera plus facilement toute son attention si vous n'êtes pas là. Ces moments intimes sont importants pour cimenter cet attachement particulier.

Le comportement des grands-parents

Les grands-parents n'ont pas tous la même attitude vis-à-vis de leurs petits-enfants. Les psychologues ont identifié différents types d'engagement de leur part au sein de la vie familiale :

• **Traditionnels.** Les grands-parents aiment rendre visite régulièrement à leur petit-fils ou petite-fille et sont ravis de faire du baby-sitting de temps en temps.

● Conseils malins

1. **Accueillez-les chez vous à bras ouverts.** Ils ne viendront pas s'ils ne sont pas les bienvenus de peur qu'on les juge envahissants. Invitez-les afin qu'ils se sentent désirés.

2. Faites-leur faire du baby-sitting. Vous ne partagez peut-être pas tous leurs points de vue sur l'éducation, mais garder votre enfant de temps en temps leur fait du bien autant qu'à lui et à vous.

Ils sont parents eux-mêmes. Votre bébé est en sécurité !

3. Écoutez leurs conseils. Certes les parents, c'est vous et non eux. Les décisions concernant votre enfant vous appartiennent. Cependant, cela ne coûte rien de prêter attention à leurs suggestions.

4. Donnez-leur des idées de jeux. Cela fait sans doute longtemps qu'ils n'ont pas joué avec

un bébé. Ils seront peut-être pris au dépourvu au début. Suggérez-leur des jouets et des activités. Ils retrouveront vite confiance en eux.

5. Partagez les bons moments avec eux. Ils seront ravis d'apprendre tous les exploits de votre enfant et de suivre son évolution pas à pas. Leur plaisir ajoutera à votre propre joie. Tenez-les régulièrement au courant.

Pourtant, ils évitent d'imposer leur point de vue de peur que vous leur reprochiez de s'immiscer dans l'éducation de votre bébé.

• **Joueurs !** Ils veulent participer davantage et toutes les occasions sont bonnes pour jouer avec votre enfant ou l'emmener en promenade. Ils souhaitent avoir une relation chaleureuse et tendre avec lui, fondée sur un amour mutuel.

• **Autoritaires.** Dans la mesure où ils se considèrent comme chefs de famille, ils pensent que leurs enfants devraient toujours s'en référer à eux, notamment pour ce qui est de l'éducation de leurs petits-enfants. Ils sont enfermés dans leurs préjugés.

• **Distants.** L'évolution au sein de notre société fait que, dans bien des cas, les grands-parents vivent loin de leurs petits-enfants, à l'autre bout de la ville ou dans une autre agglomération. Ils ont alors peu d'occasions de les voir.

Quel que soit le type de comportement adopté par vos parents, souvenez-vous qu'une relation agréable entre le bébé et eux, ainsi qu'entre vous et eux, est dans l'intérêt de votre enfant. Vos rapports avec lui ne pâtiront pas de liens étroits entre eux. Bien au contraire, plus il est heureux, mieux il s'entendra avec les autres dans la vie. Il peut vous aimer profondément et les aimer aussi.

C'est la raison pour laquelle mieux vaut résoudre au plus vite toute tension éventuelle entre vos parents et votre bébé. Dans le cadre d'une famille, des petits malentendus se changent vite en querelles si l'on n'intervient pas rapidement. En un rien de temps, un fossé peut ainsi se creuser entre grands-parents et petits-enfants. Si vous n'êtes pas d'accord avec vos parents sur un point – parce qu'ils ont fait quelque chose pour l'enfant que vous leur aviez demandé de ne pas faire, par exemple, soyez franc, direct. Exprimez ouvertement vos sentiments avec calme et tact. Communiquer simplement est le meilleur moyen de dissiper les tensions.

Vos parents vous rendront grand service en vous aidant à prendre soin de vos enfants.

La communication non verbale

Jusqu'à ce que votre enfant puisse s'exprimer par la parole (généralement vers la fin de sa première année), il se replie sur d'autres modes de communication pour vous faire part de ses sentiments et de ses idées. En plus des pleurs, il a recours au langage corporel : mouvements des bras et des jambes et expressions du visage. Mieux vous saurez interpréter ce mode d'expression, plus vos relations affectives seront étroites. Soyez attentif à ses gestes et encouragez-le à se servir de ces outils de communication à sa portée.

Le regard surpris de cette petite fille de cinq mois révèle précisément ce qu'elle ressent.

Communiquer sans la parole

Les principaux éléments du langage corporel au cours des quinze premiers mois sont les suivants :

• **Pleurs.** C'est le moyen que l'enfant emploie instinctivement pour vous faire comprendre qu'il est malheureux. Au départ, il pleure seulement quand il a faim ou mal, mais ses accès de larmes sont de plus en plus variés et expressifs au fil des mois.

• **Expressions du visage.** L'enfant peut transmettre toute une gamme d'émotions rien qu'en changeant d'expression. Vous pouvez ainsi savoir s'il est heureux, triste, satisfait, mal à l'aise, fatigué, inquiet ou fâché.

● **Mouvements des bras et des mains.** Dès les premiers mois, l'enfant se sert de ses mains pour attraper ce qu'il veut, mais aussi pour repousser des objets et des gens. C'est une manifestation évidente de ses désirs et vous n'aurez aucun mal à le comprendre.

● **Mouvements des jambes et des pieds.** Lorsqu'un bébé est couché dans son lit, des mouvements vigoureux des jambes peuvent indiquer qu'il est heureux, excité, ou au contraire, troublé et mal à l'aise. Dès qu'il est plus mobile, il s'éloigne de ce qui lui déplaît.

Le sourire et le mouvement de mains de cette petite fille (à gauche) montrent qu'elle a vu quelque chose qui l'attire. Quant au geste du petit garçon, il indique qu'il s'est cogné la tête, mais ne s'est pas fait trop mal !

● **Mouvements du corps.** Vous savez qu'il n'est pas détendu s'il gigote dans son lit. Instinctivement, vous lui demandez ce qui ne va pas, car ces mouvements vous montrent qu'il ne se sent pas bien.

● **Contact physique.** En se blottissant contre votre épaule, il vous montre qu'il est bien avec vous et apprécie votre compagnie. Il vous dit exactement l'inverse s'il se débat furieusement dans vos bras.

Plus vous réagissez à ce langage corporel, plus votre enfant prend conscience de l'intérêt de la communication – ce qui favorise aussi le développement de la parole. Tâchez d'être à l'écoute de ce mode d'expression non verbale. Vous verrez que très vite, vous comprendrez ce qu'il s'efforce de vous dire. Si vous interprétez convenablement les signes, par exemple qu'il pleure parce qu'il a besoin d'être changé, vous aurez davantage confiance en vous et répondrez mieux à ses besoins. Parallèlement, votre bébé se fiera de plus en plus à vous.

Souvenez-vous que le même geste peut avoir une signification différente selon le contexte. Jeter un jouet peut être une manière pour un bébé de manifester sa joie, mais aussi la colère ou l'ennui. Efforcez-vous de repérer un ensemble de signes, une expression alliée à des mouvements des bras, des jambes par exemple, plutôt qu'un geste spécifique.

Parlez-lui

Même si votre enfant est incapable de prononcer une syllabe et se sert exclusivement de son corps pour communiquer avec vous, vous devez lui parler normalement car cela l'incite à s'exprimer avec les moyens dont il dispose. Il s'aperçoit qu'il peut vous transmettre un message et s'efforcera davantage de réagir à ce que vous lui dites. En outre, il étudiera de plus près vos expressions quand vous vous adresserez à lui et découvrira ainsi de nouveaux outils de communication, tels que les yeux, la bouche, l'intonation. Il copie votre langage corporel ; vous lui servez de modèle.

Enfin, quand vous lui parlez, vous dissipez ses frustrations en lui donnant le sentiment d'être compris. Cet apaisement l'incite à se montrer plus communicatif.

● Conseils malins

1. Observez-le. Le meilleur moyen de vous familiariser avec le langage corporel de votre enfant consiste à l'observer dans différentes situations. Vous découvrirez peu à peu les multiples manières dont il communique sans parler.

2. Réagissez. Si vous pensez qu'il essaie de vous demander quelque chose (par exemple, il est tout agité parce qu'il vous voit et veut un câlin), prenez-le dans vos bras. Cela renforce son désir de communiquer.

3. Imitez-le. Si vous n'êtes pas sûr de ce qu'il tente d'exprimer, vous comprendrez peut-être mieux en l'imitant tout en vous interrogeant sur l'effet produit par ses gestes.

4. Faites-lui part de votre interprétation. Dites-lui par exemple : « Je vois que tu m'expliques que tu as faim ». Cela l'aidera à faire le lien entre la communication non verbale et la parole.

5. Parlez-en aux autres. Il est utile de parler aux autres personnes qui le connaissent bien du langage corporel de votre enfant. Vous pourrez comparer vos avis pour évaluer la justesse de votre interprétation.

Les pleurs

Tous les bébés pleurent, certains plus souvent que d'autres. Ces pleurs vous informent ainsi que quelque chose ne va pas : votre bébé est mal à l'aise, il a froid, faim ou soif, ou bien il est fatigué ou encore s'ennuie. C'est son mode de communication naturel jusqu'au jour où il peut s'exprimer par la parole. Au début, tous les pleurs se ressemblent, mais vous apprendrez peu à peu à les distinguer et à les

Quand votre bébé aura 4 mois, vous comprendrez plus aisément s'il pleure parce qu'il a faim, parce qu'il est fatigué ou s'ennuie, ou s'il veut juste que l'on s'occupe de lui.

interpréter. Les crises de larmes sont plus fréquentes au cours des trois premiers mois. Par ailleurs, les recherches ont montré que beaucoup de jeunes enfants pleurent sans source d'inconfort précise.

Que faire ?

Quand votre bébé se met à pleurer, commencez par passer en revue les causes les plus évidentes. Il a peut-être faim ou froid. Il est possible aussi qu'il cherche juste à attirer votre attention ou qu'il ne se sente pas très bien. Une fois ces possibilités éliminées, faites-lui un câlin rassurant ; ses larmes ne se tariront pas forcément tout de suite, mais cela ira mieux tout de même. La chaleur d'un contact physique et les vibrations de vos battements de cœur le réconforteront. Vous vous sentirez mieux aussi en le serrant contre vous.

Même si ses pleurs vous irritent à la longue, ne vous laissez pas abattre ! Jusqu'à l'âge de 3 mois, votre nourrisson pleurera sans doute deux heures par jour environ (pas en une seule fois !). Ensuite, ce laps de temps va se réduire de moitié, mais une heure de sanglots intermittents par jour suffit à vous énerver. Rien ne confirme la thèse populaire selon laquelle les petits garçons pleurent plus que les filles.

Comment le réconforter

Essayez les techniques suivantes pour calmer votre enfant :

• **Le mouvement.** Le simple fait de le bercer dans vos bras ou dans sa poussette peut avoir un effet apaisant. Il suffit parfois de le changer de position dans son lit pour que ses cris cessent.

• **Les câlins.** Il s'arrêtera peut-être de pleurer si vous le tenez doucement mais fermement dans un bain chaud. Le blottir contre vous aura parfois le même effet. S'il est vraiment agité et ne veut pas que vous le preniez dans vos bras, laissez-le dans son lit et caressez-lui délicatement les joues et le front.

• **Le bruit.** Vous serez étonné de voir à quel point le chant peut le calmer, grâce au son de votre voix, à son intonation affectueuse et au rythme familier des mots sur lesquels il se concentre. Certains bébés apprécient un bruit de fond régulier, le ronronnement d'une machine à laver par exemple.

● Conseils malins

1. Soyez zen ! Les cris persistants d'un bébé donnent parfois envie de crier aussi ! Il s'agitera alors encore plus. Faites un gros effort pour vous contrôler.

2. Faites-vous aider. Arrangez-vous pour qu'une personne de confiance s'occupe de temps en temps de votre bébé lorsqu'il pleure. Vous ferez face plus facilement après un moment de répit.

3. Ne vous sentez pas coupable. Si votre bébé pleure tous les soirs, cela ne veut pas dire que vous êtes de mauvais parents. Dès lors que vous avez éliminé les sources d'inconfort habituelles, ses larmes n'ont sans doute rien à voir avec votre comportement vis-à-vis de lui.

4. Voyez les choses à long terme. Si votre enfant pleure souvent durant les quinze premiers mois, dites-vous bien que ce n'est qu'un moment à passer. La situation s'arrange en général considérablement après l'âge de 1 an.

5. Soyez sûr de vous. La confiance que vous avez en vos aptitudes parentales affecte votre attitude. Si vous êtes tendu, incertain, il le percevra. Dites-vous que les techniques de réconfort que vous employez marcheront. Soyez optimiste !

• **Une diversion.** La vue d'un jouet à sa portée interrompt souvent une crise de larmes. Son intérêt pour cet objet lui fait temporairement oublier son malaise et il cesse de pleurer.

Quelle que soit la stratégie utilisée, persévérez un moment avant de passer à autre chose. On panique facilement lorsqu'un bébé pleure souvent sans raison apparente : on a alors tendance à passer d'une technique à une autre. Le problème, dans ce cas, est que l'enfant ne s'habitue à aucune de vos méthodes pour la bonne raison que vous ne les appliquez pas assez longtemps. Persistez jusqu'à ce que vous soyez convaincu qu'un stratagème reste sans effet.

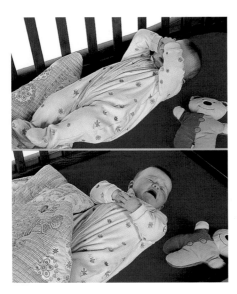

Un bébé pleure souvent avant de s'endormir. Les parents sont les mieux placés pour savoir s'il ne se sent pas bien ou si ses larmes vont céder la place au sommeil.

Le prendre dans vos bras ou pas !

On vous donnera très certainement des conseils contradictoires quant à la manière de réconforter votre bébé. Une personne vous dira de le laisser tranquille quand il pleure (de peur qu'il ne pique une crise à chaque fois qu'il souhaite votre attention) ; une autre vous incitera à le cajoler systématiquement (pour qu'il ne se sente pas seul et négligé). Ces deux suggestions sont extrêmes. Soyez perspicace. Faites preuve de souplesse. Mieux vaut le laisser seul un peu plus longtemps quelquefois. À d'autres moments, il aura vraiment besoin d'un câlin. C'est à vous de déterminer ce qui vous paraît le plus judicieux.

L'allaitement et le sevrage

À vous de décider si vous souhaitez nourrir votre bébé au sein ou au biberon selon ce qui vous convient le mieux. Quel que soit votre choix, cependant, à un moment ou à un autre, vous vous apercevrez qu'il a encore faim après chaque tétée et que le lait ne lui suffit plus. C'est la période du sevrage, lorsqu'il passe du lait seul au lait associé à des aliments solides. Son corps l'informe – et vous informe – qu'il a besoin d'une nourriture plus consistante. La transition peut néanmoins être difficile parce qu'il est habitué à se nourrir exclusivement de lait. Planifiez bien la phase du sevrage afin de lui faciliter les choses.

Les premières tétées

L'aptitude de votre bébé à sucer du lait au sein ou au biberon est instinctive. Il est né doté de deux réflexes qui permettent cela : la succion (il suce automatiquement tout objet placé dans sa bouche) et la déglutition (il avale d'office un liquide). C'est donc un processus entièrement naturel.

Certaines mères nourrissent leur enfant à la demande, d'autres à heures fixes. Chaque option a ses avantages et ses inconvénients :
• **À la demande.** L'intérêt de cette méthode est que l'enfant n'a jamais faim. Vous lui donnez à manger quand vous

Se nourrir est un instinct naturel.

sentez qu'il est prêt. Vous le nourrissez à son rythme. Le problème est que vous risquez de devoir l'allaiter souvent, de jour comme de nuit, sans véritable répit entre deux tétées. Ce système est néanmoins recommandé par la plupart des spécialistes de la santé, chez le nourrisson en particulier.

• **À heures fixes.** L'avantage est que vous pouvez mieux planifier votre journée (et celle de l'enfant). De plus, le bébé apprend à gérer ses besoins fondamentaux. Cependant, si une tétée ne le satisfait pas, il est forcé d'attendre la suivante et risque d'avoir faim entre les deux.

Comme pour le mode d'allaitement, c'est à vous de déterminer la cadence des repas. Choisissez la méthode qui vous convient le mieux, et une fois votre décision prise, tâchez de vous y tenir. Soyez sûre d'avoir fait le bon choix. En changeant continuellement, vous sémeriez la confusion dans l'esprit de votre bébé.

Le sevrage

Un jour viendra où votre enfant ne pourra plus se rassasier avec du lait maternel ou artificiel seulement. Les réserves de minéraux, de fer par exemple, dont il disposait à la naissance s'épuisant peu à peu, il recherche instinctivement des aliments plus substantiels. Il est aussi plus grand et a besoin de davantage de nourriture pour continuer sa croissance.

Il n'y a pas de moment spécifique pour le sevrage. Si votre enfant semble se satisfaire de lait, il obtient probablement par ce biais toutes les substances nutritives dont il a besoin. Il ne tire certainement aucun profit de l'ingestion d'aliments solides avant l'âge de 4 mois. Laissez-vous guider par lui.

*Dès qu'il sera habitué aux aliments solides,
votre enfant aura du plaisir à se nourrir tout seul ;
mieux vaut lui donner un aliment qu'il peut manger
avec les doigts au départ.*

À 11 mois, votre bébé apprécie toute une gamme d'aliments et peut boire tout seul avec une tasse à bec.

S'il commence à réclamer davantage de tétées ou se réveille plus souvent la nuit parce qu'il a faim, c'est sans doute qu'il est prêt à faire la transition. Cela se produit généralement entre 4 et 6 mois.

Agissez alors par étapes. Pour l'habituer à un nouveau goût, déposez une minuscule quantité d'un aliment solide au bout d'une cuiller en plastique propre et glissez-la dans sa bouche. Il ne connaît encore que le goût du lait ; il y a des chances pour qu'il fasse la grimace au début. Donnez-lui du lait aussitôt après. Un peu plus tard pendant la tétée, faites-lui goûter encore avant de lui faire boire du lait à nouveau. Il s'accoutumera ainsi peu à peu aux aliments solides à mesure que vous en augmenterez la quantité, au fil des repas.

● Conseils malins

1. Pas de panique. Évidemment, toute mère désire que son bébé mange bien et aimerait que la transition du lait aux aliments solides se fasse sans difficultés. Mais si vous êtes tendue pendant les repas, il le sera aussi.

2. Réfléchissez avant de lui donner à manger. Ne vous imaginez pas forcément qu'il a faim parce qu'il pleure. Peut-être est-il mal à l'aise ou s'ennuie-t-il. Passez en revue toutes les possibilités avant de vous empresser de préparer le repas suivant.

3. Faites de l'hygiène une priorité. La propreté est importante, que vous nourrissiez votre enfant au sein ou au biberon. Même si vous êtes fatiguée et que votre bébé a très faim, soyez très stricte sur ce point.

4. Dans le cas du sevrage, insistez. Le dégoût initial de votre enfant pour les aliments solides risque de vous décourager. Ne cédez pas trop vite. Planifiez les étapes et procédez pas à pas.

5. Encouragez-le. Quand il mange pour la première fois un aliment solide, montrez-lui que vous êtes ravie. Souriez-lui, parlez-lui et faites-lui un gros câlin. Cela le rassurera et améliorera son humeur.

Le sommeil

Votre enfant a besoin de sommeil pour rester en forme, mais vous vous apercevrez qu'il ne dort pas toujours précisément quand vous le souhaitez. Au cours des premières semaines, son rythme de sommeil est irrégulier ; entre la sixième et la huitième semaine, toutefois, ses siestes sont plus prévisibles et il dormira de plus longues périodes la nuit. Certains bébés luttent contre le sommeil, même s'ils sont fatigués, alors que d'autres s'endorment sans peine. Des études psychologiques ont montré que la majorité des parents sont perturbés à un moment ou un autre par le fait que leur bébé ne veut pas s'endormir le soir.

Tout sur le sommeil

Voici des informations importantes sur le sommeil du bébé au cours des quinze premiers mois :

• l'aîné a généralement plus de difficultés à trouver le sommeil que ses frères et sœurs ;

• un bébé sevré tardivement a plus de chances d'être un mauvais dormeur (mais le sevrage précoce peut provoquer des problèmes de santé) ;

• le sexe n'a aucun effet sur le sommeil : garçons et filles trouvent un rythme stable à la même période ;

• c'est vers 3 ou 4 mois seulement que votre bébé dort davantage la nuit que le jour ;

• pendant le sommeil, ses pupilles se rétractent ; il respire moins fort, son rythme cardiaque ralentit et il urine moins souvent ;

Le rythme de sommeil d'un nouveau-né est imprévisible et peut le rester jusqu'à 3 ou 4 mois.

Pendant la nuit, tâchez d'apaiser votre bébé sans le lever ni allumer la lumière. Maintenez un environnement calme et paisible pour qu'il comprenne bien que la nuit est faite pour dormir.

• votre enfant a besoin de sommeil. S'il dort mal, il finit par devenir irritable et par se désintéresser des jeux autant que des tétées.

Au cours des premiers mois, votre bébé dormira probablement 19 heures par jour environ, même si son sommeil est léger... au point que vous ne vous aperceviez pas qu'il s'est endormi ! En moyenne, il s'endormira jusqu'à huit fois par jour. Dès l'âge de 1 an, cependant, un enfant ne dort plus que 13 heures par jour environ.

Votre propre rythme de sommeil diffère donc passablement du sien. Préparez-vous à avoir des coups de fatigue ! Mais ne vous inquiétez pas : ses habitudes en matière de sommeil s'harmoniseront peu à peu avec les vôtres au cours de la première année.

● Conseils malins

1. Assurez-vous qu'il est bien dans sa chambre. Une pièce agréablement chauffée, avec une lumière tamisée, est propice au sommeil. Réduisez les bruits de fond trop forts dans la mesure du possible.

2. Tenez-vous à un programme précis. Votre bébé apprécie les repères. Un horaire constant pour les siestes et le coucher du soir

l'aide à régulariser son rythme.

3. Donnez-lui un bain avant de le coucher. Un bain chaud le détendra, de même qu'une couche et des vêtements propres. Mettez-le dans son lit et lisez-lui une histoire d'une voix paisible et douce.

4. Chronométrez ses siestes. Il n'est pas toujours possible de le garder éveillé s'il a décidé de faire un somme. Du coup, s'il a fait une

longue sieste juste avant le dernier repas de la journée par exemple, il aura peut-être envie de faire la java le soir ou pendant la nuit.

5. Ne paniquez pas. Un bébé qui se réveille la nuit en quête de votre attention risque de vous épuiser. Si vous vous laissez gagner par l'anxiété, cela aura un effet néfaste sur lui et il aura encore plus de mal à se rendormir.

Quand il refuse de fermer l'œil

Le rythme de sommeil de votre bébé est extrêmement variable au cours des quatre ou cinq premières semaines. Vous vous apercevrez peut-être qu'il suit une cadence qui lui est propre, quoi que vous fassiez pour l'influencer. Si vous êtes sûr qu'il est à l'aise, bien nourri et se sent aimé, acceptez la situation telle qu'elle est car vous n'y pouvez rien. Il existe néanmoins toutes sortes de méthodes pour aider votre enfant à s'endormir.

Chaque bébé est différent et la stratégie qui fait effet sur l'enfant de vos amis n'aura peut-être aucune incidence sur le vôtre. Certains nourrissons s'assoupissent quand on les berce doucement ou en réaction à un bruit de fond ; d'autres préfèrent qu'on les emmitoufle dans une couverture et qu'on les cajole. Essayez différentes techniques. Vous finirez par trouver la bonne, même si elle risque de ne pas être efficace la semaine suivante.

Si votre bébé âgé de 3 mois ou plus se réveille pendant la nuit, assurez-vous qu'il ne s'est pas fait mal, qu'il n'a pas besoin d'être changé, puis encouragez-le à se rendormir. Évitez d'en faire toute une histoire car il trouvera que cela vaut la peine de se réveiller et aura tendance à recommencer la nuit suivante !

Si toutes les autres méthodes d'apaisement échouent, la plupart des bébés s'endorment en voiture.

La discipline

Votre enfant est bien entendu adorable, mais il y aura toujours des moments où vous devrez lui imposer des règles : s'il s'empare de vos lunettes et entreprend de les tordre dans ses petites mains par exemple, ou s'il hurle de rage parce que vous refusez de lui donner ce qu'il veut. Il ne s'agit pas seulement de punir. Les punitions font partie de la discipline, mais elles ne devraient jouer qu'un rôle mineur. La discipline a pour but d'encourager votre enfant à se contrôler seul et à penser aux autres. En ce sens, elle ne peut que lui être favorable.

Ci-contre : Le manque de coopération d'un enfant provient souvent de la fatigue ou d'un sentiment de frustration plutôt que d'une volonté de désobéissance.

Pourquoi la discipline ?

Votre bébé assimilera peu à peu le concept de discipline au cours des quinze premiers mois. Cela ne sert à rien d'accuser un nouveau-né d'être vilain puisqu'avant l'âge de 6 mois la notion de règles lui échappe. De la même façon, il est inutile d'ordonner à un bébé de 3 mois d'arrêter de pleurer s'il ne veut pas avoir d'ennuis. Certains affirment qu'il faut bien établir des règles un jour ou l'autre, et que mieux vaut entamer le processus quand l'enfant est tout jeune plutôt que de retarder le moment jusqu'à ce qu'il soit trop tard. C'est une attitude assez sévère. En règle générale, le concept de discipline dépasse l'enfant tant qu'il n'a pas une bonne compréhension du monde qui l'entoure.

La situation évolue toutefois vers le sixième mois. Entre 6 et 12 mois, votre enfant commence à comprendre le sens du mot « non », comme vous le prouve sa réaction négative. Dès qu'il vous regarde dans les yeux en essayant délibérément d'entreprendre ce que vous lui avez interdit de faire, c'est le moment de prendre la discipline au sérieux. Dès lors, vous établirez des règles avec lui.

Souvenez-vous néanmoins que la discipline n'est pas synonyme de contrainte. Ce terme provient d'ailleurs d'un mot latin qui signifie « apprendre » – en d'autres termes, l'enfant doit apprendre par le biais de la discipline. Il ne devrait pas en avoir peur. Efforcez-vous de créer une atmosphère chaleureuse pour l'encourager à assimiler les règles plutôt que d'instaurer un système destiné à le forcer à bien se comporter.

L'attitude vis-à-vis de la discipline

Vous déciderez par vous-même du mode de discipline que vous souhaitez imposer à votre enfant. Cela dépendra en grande partie de votre attitude à cet égard, des souvenirs d'enfance que vous avez (comment vos parents vous ont inculqué leurs règles de conduite), et de votre relation avec l'enfant. Attendez-vous à ce qu'il se rebiffe de temps en temps, aussi charmant soit-il. Cela fait partie du processus de l'apprentissage. Souvenez-vous qu'il est comme tous les autres enfants et que vous êtes aussi efficace qu'un autre parent.

Le plus couramment, la discipline parentale peut être :

• **Autoritaire**. Les parents ont une attitude inflexible : ils établissent des règles qui doivent impérativement être respectées. L'enfant doit s'y plier systématiquement et les écarts de conduite sont sévèrement punis.

• **Démocratique.** Ces parents imposent des règles qui se veulent justes, propices aux intérêts de l'enfant et concernent le plus souvent sa sécurité.

On parvient à de meilleurs résultats à long terme avec une attitude démocratique vis-à-vis de la discipline.

Il y a des moments où il faut être très ferme pour que le message passe.

Les infractions sont généralement traitées avec fermeté, en recourant à des explications plutôt qu'à une punition.

• **Libérale.** Il s'agit d'une attitude détachée vis-à-vis de la discipline, basée sur l'idée que l'enfant apprendra les règles en grandissant, au gré de ses expériences. La punition n'existe pas puisqu'aucune règle n'est imposée.

La plupart des parents font un amalgame entre ces modes de discipline et en font dominer un. Les recherches suggèrent que les bébés et les jeunes enfants s'accommodent mal des extrêmes, de sorte que les approches autoritaire et libérale sont rarement les plus efficaces. En inculquant la discipline à votre enfant, vous l'incitez à s'autodiscipliner, jusqu'à ce que vous n'ayez plus besoin de lui dire ce qu'il doit faire et ne pas faire.

Conseils malins

1. Soyez détendu. Essayez de garder votre calme quand votre enfant enfreint les règles. Si vous perdez votre sang-froid, il s'énervera aussi et, dans cet état, il n'apprendra rien. Soyez ferme avec lui, mais ne vous mettez pas en colère.

2. Expliquez-lui les règles. Un bébé de 9 mois ne peut pas vraiment comprendre vos explications relatives à l'importance d'une règle en particulier, mais dites-le lui quand même. À un moment donné, il comprendra.

3. Évitez les châtiments corporels. Les fessées n'ont pas un effet dissuasif et n'agissent qu'à court terme. Si vous persévérez, il aura peur de vous et risquera de se rebeller davantage et d'être encore plus déterminé.

4. Choisissez une approche positive. L'un des meilleurs moyens d'encourager votre enfant à suivre les règles consiste à l'encourager, à lui manifester votre approbation quand il se comporte bien. Mieux vaut cela que de le punir.

5. Soyez ferme, mais pas rigide. À chaque règle, son exception. Si vous devez le plus souvent rester sur vos positions, il faut admettre qu'un jeune enfant fasse une bêtise sans le réprimander pour autant, s'il est nerveux par exemple.

La confiance en soi

Les bases de la confiance en soi de votre enfant sont posées dès la première année. Un bébé a déjà une notion de sa personne et de ce qu'il peut faire et ne pas faire.

Son assurance est influencée par ses succès : quand, à 3 mois, il arrive à saisir un objet qui attire son attention ou quand, à 1 an, il fait ses premiers pas. La réaction des autres a également une influence. Votre amour, vos félicitations et votre intérêt favorisent sa confiance en lui.

Les bases de la confiance

La confiance en soi a un effet important sur le développement du bébé car elle influe tant sur sa motivation, sa volonté de réussir que sur ses relations avec autrui. Trois aspects sont à prendre en considération :

• **La foi en soi.** Dans quelle mesure se sent-il à même de surmonter les défis auxquels il est confronté ? Un enfant qui doute de lui n'essayera même pas de jouer avec un nouveau jouet parce qu'il pense que ce sera trop difficile pour lui. Il préférera rester passif dans son lit plutôt que de risquer un échec.

• **L'estime de soi.** Votre enfant s'estime-t-il ? Dès la première année, on peut en juger. Observez-le lorsqu'il tente d'accomplir quelque chose. S'il a une bonne opinion de lui-même, il se tournera probablement vers vous avec un grand sourire ; à l'inverse, un bébé qui ne s'estime pas se désintéressera de ses propres succès.

• **Le reflet de soi.** Les gens qui l'entourent réagissent-ils positivement face à lui ?

Un câlin réconfortant remettra d'aplomb un enfant bouleversé.

Quand vous dites à votre enfant que vous l'aimez et le serrez dans vos bras parce qu'il a réussi à s'asseoir tout seul par exemple, il se sent bien et a une image positive de lui-même.

Un bébé qui manque d'assurance connaît moins de joies dans la vie ; il adopte une attitude plus passive et éprouve parfois des difficultés à aimer et à accepter l'affection des autres. Les défis, l'aventure sont une menace plutôt qu'une source d'excitation pour lui. Il rechigne à découvrir et à apprendre.

Un sentiment précoce

Des études psychologiques ont indiqué qu'avant l'âge de 15 mois, l'enfant croit fermement en ses aptitudes. C'est la raison pour laquelle il est prêt à explorer et à s'aventurer dans de nouveaux domaines. Aucun défi n'est insurmontable à ses yeux. On dirait presque qu'il a une confiance innée en lui-même : il est prêt pour l'éveil.

Vos encouragements et votre soutien aideront votre enfant à oser faire ses premiers pas.

Conseils malins

1. Multipliez les contacts tendres. Une étreinte chaleureuse est essentielle pour montrer à votre bébé que vous l'aimez et le trouvez merveilleux. Votre affection favorise sa confiance en lui.

2. Rassurez-le. S'il laisse exploser sa frustration parce qu'il n'arrive pas à éteindre sa boîte à musique par exemple, tâchez de le calmer. Réconfortez-le en lui disant qu'il y parviendra bientôt et montrez-lui à l'occasion comment il faut s'y prendre.

3. Présentez-lui les défis étape par étape. Votre bébé veut tout faire, même lorsque la tâche le dépasse. Aidez-le à accomplir chaque activité pas à pas. Par exemple, il est plus facile de franchir quelques centimètres en rampant que d'atteindre l'autre bout de la pièce.

4. Dites-lui ce que vous ressentez à son égard. Même s'il ne comprend pas le sens des mots, il sait interpréter les signes de communication non verbale, comme l'expression de votre visage ou l'intonation joyeuse de votre voix.

5. Évitez les embûches évidentes. Il est inutile d'inciter votre enfant à apprendre par l'échec. Si vous voyez qu'il est sur le point d'être déçu, changez d'activité avant que cela n'aille trop loin.

Cette attitude positive s'étend à toutes les activités de son existence. Il s'emparera d'un nouveau jouet qui attire son attention, s'efforcera de ramper pour atteindre l'autre bout de la pièce et tentera de communiquer avec vous-même s'il commence juste à balbutier. En d'autres termes, dès la naissance, le bébé est prêt à tout !

Cependant, cette assurance est facilement ébranlée par l'expérience. S'il se rend compte qu'il n'arrive pas à agiter un hochet de manière à produire un bruit, il s'en désintéressera. Il en sera de même quand il tente de ramper, s'il s'aperçoit qu'il avance avec peine : il se mettra à pleurer pour exprimer sa frustration. Si de tels échecs se répètent, sa confiance en lui va décroître et il abandonnera la partie.

Observez-le attentivement lorsqu'il joue. Laissez-le libre de s'occuper tout seul afin qu'il découvre la réussite par lui-même, mais soyez prêt à intervenir si vous le sentez frustré ou déçu. S'il s'énerve ou se braque, cajolez-le, rassurez-le et proposez-lui un autre jouet ou une activité qu'il a déjà maîtrisée. Il peut toujours revenir à la précédente plus tard, lorsqu'il sera de meilleure humeur.

L'attitude de ce petit garçon de 15 mois montre sa confiance en lui et son indépendance.

Des besoins particuliers

On estime qu'un bébé sur cinq a des besoins particuliers. En d'autres termes, son développement ne suit pas le cours habituel. Par exemple, il parlera plus tard que les autres, il n'aura toujours pas fait ses premiers pas alors que les enfants de son âge tiennent déjà bien sur leurs jambes, ou ne comprendra pas comment fonctionne un jouet bien qu'il ait été conçu pour les petits de son âge. Le bébé a alors les mêmes besoins que les autres sur le plan psychologique, mais requiert davantage d'attention en matière de stimulation.

Identifier le problème

Certains troubles du développement, tels que le syndrome de Down ou le spina bifida, sont généralement détectés à la naissance. D'autres ne sont repérés que plus tard, lorsqu'on s'aperçoit que l'enfant ne parle pas alors qu'il est censé commencer à le faire, ou parce qu'il comprend moins bien les choses que les autres bambins de son âge. Si vous avez des doutes à propos du développement de votre bébé, parlez-en à votre médecin. Vous n'avez probablement aucune raison de vous inquiéter, mais l'avis d'un spécialiste vous rassurera.

Le récapitulatif des étapes du développement présenté dans ce chapitre (voir pages 54-69) est un guide des progrès caractéristiques de l'enfant jusqu'au quinzième mois. Si votre bébé ne franchit pas les étapes aux moments indiqués, cela ne veut pas dire qu'il ait des besoins particuliers. Il est sans doute prêt à passer très bientôt à la phase suivante. Laissez-lui le temps de développer son potentiel.

Chaque parent réagit différemment lorsqu'il se rend compte que son bébé a des besoins particuliers. Des enquêtes ont montré qu'une fois le choc initial passé, la plupart affrontent bien la situation. Certains s'accusent, bien qu'ils n'y soient pour rien. Il est bon de faire part de vos sentiments à votre conjoint ou à un ami attentif.

L'importance du jeu

Le bébé qui a des besoins particuliers doit apprendre grâce au jeu, comme n'importe quel autre enfant. Cependant, il lui faudra peut-être davantage d'aide pour tirer profit des activités proposées. Observez sa façon de jouer et ses réactions. Soyez positif.

Pour chaque obstacle ou difficulté rencontré par votre enfant quand il joue, il y a une solution. Par exemple :

• **s'il est moins curieux que les autres,** faites plus d'efforts pour stimuler son intérêt en lui montrant un large éventail de jouets et en jouant plus longtemps avec lui ;

• **si sa concentration est limitée et s'il se désintéresse vite,** jouez avec lui pendant des périodes plus brèves, mais plus nombreuses au cours de la journée. Sa concentration sera plus grande si le laps de temps est court ;

• **s'il manque de contrôle manuel et ne parvient pas à tenir les jouets dans ses mains,** écartez délicatement ses doigts, déposez le jouet dans le creux de sa

Certains jouets, comme ces anneaux à empiler, sont peut-être trop compliqués pour votre bébé, mais avec votre aide et vos encouragements, il progressera.

main et refermez doucement ses doigts autour. Ainsi, il sentira l'effet produit lorsqu'on ouvre et referme la main ;

• **s'il n'arrive toujours pas à s'asseoir tout seul faute de tonus musculaire dans le dos**, installez-le par terre ou dans un fauteuil en l'entourant de coussins de manière à ce qu'il soit assis ;

• **si son développement physique plus lent limite son aptitude à atteindre l'autre bout de la pièce**, déterminez les objets qui attirent son attention et apportez-les lui. Cela compensera les restrictions que lui impose son manque d'agilité.

Que votre bébé ait des besoins particuliers ou non, votre rôle est essentiel pour l'aider à développer pleinement son potentiel.

Il s'agit d'apprendre à connaître les points forts et les points faibles de votre bébé, et de mettre au point des stratégies de jeu et de découverte adaptées. Si ses progrès sont plus lents que vous ne l'espériez, ses aptitudes s'amélioreront peu à peu au cours des quinze premiers mois. Mais il a besoin pour cela de beaucoup de stimulation.

Conseils malins

1. Soulignez les similitudes plutôt que les différences. Pensez surtout aux points communs qu'a votre bébé avec les autres enfants plutôt que de vous concentrer sur les différences. Votre bébé est très spécial et il s'épanouira mieux si vous avez une attitude positive.

2. Imposez une discipline souple. Si votre bébé a des besoins particuliers, vous serez tenté de ne pas établir de règles. Pourtant, il a besoin de limites tout comme les autres enfants.

3. Informez-vous. Plus vous en saurez sur les difficultés que connaît votre bébé, mieux ce sera. Procurez-vous des livres, parlez avec les spécialistes qui s'occupent de lui et soyez attentif aux expériences d'autres parents.

4. Félicitez-le. Comparés à ceux des autres bébés, les progrès de votre enfant vous paraîtront peut-être insignifiants. Pour lui, ils sont pourtant énormes, et il doit bénéficier de votre enthousiasme à chaque nouveau pas franchi.

5. Soyez patient et persévérant. Vous serez peut-être déçu et frustré par la lenteur de ses progrès, mais continuez à lui proposer des activités stimulantes, même si les résultats se font attendre. Votre patience sera récompensée.

De la naissance à 3 mois

Aptitudes la première semaine

❯ Motricité

- Il suce instinctivement un objet mou mis dans sa bouche.
- Il avale par réflexe dès qu'il a du lait dans la bouche.
- En cas de sursaut, il se cambre et gesticule dans tous les sens (réflexe de Moro).
- Il remue les jambes par réflexe comme s'il marchait quand ses pieds touchent une surface plane.
- Quand on lui caresse la joue, il tourne la tête pour trouver le sein ou le biberon.
- Il ne peut maintenir sa tête droite sans soutien, ni la lever quand il est à plat ventre.
- Il dort souvent en position de fœtus.

❯ Coordination œil-main

- Il s'empare des objets placés dans sa main par réflexe sans parvenir à les tenir.
- Il concentre son attention sur un objet placé à 20-25 cm de son visage.
- Il serre souvent les poings.
- Il cligne des yeux par réflexe si l'on approche un objet trop vite.

❯ Langage

- Il essaie de vous regarder lorsque vous lui parlez.

- Il réagit aux sons, surtout aux bruits secs.
- Il reconnaît la voix de ses parents et distingue les sons graves et aigus.
- Il vous regarde dans les yeux si vous le tenez près de votre visage.

❯ Apprentissages

- Il peut concentrer son attention sur vous.
- Il fait la différence entre les visages de ses parents et ceux des autres.
- Il reconnaît l'odeur de ses parents au bout de quelques jours.
- Il est sensible au toucher et se calme lorsqu'on le prend dans les bras.
- Ses périodes d'éveil varient, mais il dort 80 % de son temps avec 8 siestes en moyenne.

❯ Le bébé et les autres

- Il apprécie votre compagnie et réagit à votre voix.
- Il vous regarde fixement si votre visage est à 20-25 cm du sien.
- Il pleure s'il est malheureux ou s'il se sent mal.
- Il remue les bras et les jambes pour manifester son excitation.

Aptitudes le premier mois

❯ Motricité

- Il est capable de lever la tête de quelques centimètres quand il est à plat ventre.
- Il bouge la tête de côté mais reste allongé la plupart du temps, avec la joue droite sur le matelas.
- Il fait des mouvements en l'air avec ses bras et ses jambes.
- Il réagit par une grimace à un goût amer.
- Il essaie de se mettre de côté quand il est couché sur le dos.
- En cas de sursaut, il se cambre et gesticule (réflexe de Moro).

❯ Coordination œil-main

- Il fixe des objets situés à 20-25 cm de son visage.
- Il suit des objets que l'on agite devant lui.
- Il remue les mains sans vraiment les contrôler, mais peut porter sa main à sa bouche.
- Il tire parfois sa couverture vers lui.
- Le réflexe de la préhension est encore fort quand on dépose un objet dans le creux de sa main.

❯ Langage

- Il maîtrise une large gamme de cris et de pleurs. Les parents commencent à faire la distinction entre ceux de la faim, de l'ennui, de la fatigue ou de l'inconfort.

- Il communique son humeur par des mouvements des bras et des jambes et des expressions – pincement des lèvres ou regard fixe par exemple.
- Il émet des sons lorsqu'il est content.
- Il réagit positivement aux paroles réconfortantes.

❯ Apprentissages

- Il adore regarder ce qui est dans son environnement proche.
- Il regarde plus longtemps les objets bleus et verts que les rouges.
- Il est fasciné par les objets placés près de lui.
- Il se souvient d'un objet qui réapparaît quelques secondes après avoir été caché.
- Il commence à reconnaître votre voix.
- Il est éveillé 1 heure sur 10 environ.

❯ Le bébé et les autres

- Il apprécie les câlins et les sourires.
- Il réagit positivement quand on lui parle et que l'on chante pour lui.
- Il est capable de vous regarder dans les yeux.
- Il peut se détendre à l'heure du bain en tapant des pieds et en éclaboussant.
- Il pleure quand il a faim, soif ou quand il n'est pas bien.
- Il vous imitera peut-être si vous lui tirez la langue.

De la naissance à 3 mois
(suite)

Aptitudes à 2 mois

> Motricité

- Il commence à contrôler ses bras et ses jambes.
- Il tient un petit objet un court instant.
- Il soulève la tête quelques secondes de son matelas.
- Le contrôle de son cou s'améliore : il commence à soutenir le poids de sa tête lorsqu'on le porte.
- Les premiers réflexes (Moro, réflexe de la préhension) s'atténuent.

> Coordination œil-main

- Il commence à maîtriser ses mains ; ses doigts sont le plus souvent écartés, et plus souples qu'avant.
- Il observe ses doigts avec intérêt.
- Le réflexe de la préhension diminue.
- Il referme ses doigts autour d'un petit objet dans sa main, et le rapproche de son visage.
- Il essaie d'attraper un petit jouet sans y parvenir.

> Langage

- Il prononce un son de voyelle répétitif quand il est détendu.
- Il utilise un certain nombre de sons identifiables, mais n'ayant pas encore de sens.
- Il se tait lorsqu'on le prend dans les bras.
- Il oriente son regard vers un bruit.
- Il observe les gestes de ceux qui lui parlent.

- Il a tendance à répéter les mêmes sons lorsque les gens lui sourient et lui répondent.

> Apprentissages

- Il contrôle mieux sa vision et fixe un objet déplacé devant lui.
- Il aime la musique et est réconforté par des bruits de fond tels que le ronronnement d'une machine à laver ou d'un moteur de voiture.
- Il est tout agité par avance lorsqu'il voit l'eau de son bain, par exemple.
- Il commence à coordonner ses sens en orientant son regard vers la source d'un bruit.
- Il fait clairement la distinction entre les gens, les voix et les goûts.

> Le bébé et les autres

- Il vous fait son premier sourire et recommencera sans doute si vous lui souriez.
- Il apprécie votre attention et celle des autres.
- Il reste éveillé plus longtemps si l'on s'occupe de lui.
- Il commence peut-être à faire ses nuits.
- Il commence à s'amuser quand il est seul en regardant autour de lui, en essayant d'attraper des objets et en tapant dessus.
- Le repas devient une expérience sociale ; il vous regarde quand vous lui donnez à manger en lui parlant.

Aptitudes à 3 mois

❯ Motricité

- Il maîtrise mieux sa tête et peut la soulever plus longtemps, couché sur le ventre ou sur le dos.
- Il apprécie qu'on le tienne droit ; il maîtrise plus de mouvements avec sa tête et son cou.
- Il donne des coups de pied plus vigoureux.
- Il bouge plus facilement dans son lit.

❯ Coordination œil-main

- Il suit des yeux quelqu'un qui se déplace dans la pièce.
- Il tend la main vers un objet proche de lui.
- Il saisit un jouet qu'on lui met dans la main.
- Il tend les mains vers son biberon.
- Il regarde fixement les images d'un livre et essaie de les toucher.
- Il regarde attentivement les objets et s'efforce de les mettre dans sa bouche pour mieux les explorer.

❯ Langage

- Il est plus attentif aux sons.
- Ses capacités d'écoute se sont améliorées et il se tait lorsqu'il perçoit un petit bruit.
- Il apprécie quand vous lui chantez une chanson.
- Il gazouille en réaction aux sons, babille pour lui-même pendant plusieurs minutes.
- Il émet au moins deux sons distincts : « o » et « a ».

❯ Apprentissages

- Il fait le lien entre le mouvement de sa main et la réaction sur un jouet : par exemple un hochet produit un son quand on l'agite.
- Sa mémoire s'est améliorée. Il peut anticiper des événements comme la tétée ou la réapparition d'une personne qui joue à cache-cache.
- Il reconnaît une musique familière.
- Il imitera vos actions, si vous ouvrez et fermez la bouche ou si vous lui tirez la langue par exemple.
- Il est fasciné par ses mains, qu'il agite devant son visage.
- Il commence à différencier les membres de sa famille d'après leur apparence et le son de leur voix.
- Il peut faire la distinction entre le visage d'un homme et celui d'une femme.

❯ Le bébé et les autres

- Il réagit davantage à une personne qui s'intéresse à lui.
- Il adore que l'on s'occupe de lui. Il essayera même d'attirer votre attention lorsque vous êtes près de lui.
- Il multiplie les expressions du visage pour exprimer ses humeurs.
- Il sourit beaucoup plus facilement et pleure de moins en moins.

De 4 à 6 mois

Aptitudes à 4 mois

› Motricité

- Il s'assoit droit s'il a le dos soutenu.
- Il se tourne vers la droite et vers la gauche sans aide.
- Il commence peut-être à se retourner sans aide.
- Il se déplace en rampant dans son lit.
- Il ne dodeline plus de la tête lorsque vous le tenez dans vos bras.
- Il peut tourner la tête dans toutes les directions.
- La préhension est délibérée : ce n'est plus un réflexe.

› Coordination œil-main

- Il tend les bras quand vous le mettez dans son bain et tape dans l'eau du plat de sa main.
- Il essaie d'attraper les objets proches de lui.
- Il regarde fixement l'endroit d'où un objet a disparu.
- Il agite les petits objets qu'il tient.
- Sa vision s'étant améliorée, il peut concentrer son attention sur des objets proches ou distants aussi bien qu'un adulte.

› Langage

- Il rit quand quelque chose le divertit ou l'amuse.
- Il fait des vocalises pour attirer votre attention.
- Il écoute attentivement les bruits.
- Il manifeste son plaisir par des mouvements rapides et des expressions ravies.

› Apprentissages

- Il se rappelle comment jouer avec un jouet qu'il connaît déjà.
- Il se regarde dans la glace.
- Il regarde les objets d'un air curieux.
- Il ne fait peut-être plus que deux ou trois siestes par jour et reste éveillé jusqu'à 1 heure d'affilée.

› Le bébé et les autres

- Il utilise des expressions différentes pour garder votre attention.
- Il rit spontanément quand il se sent heureux.
- Il apprécie les situations familières : la tétée, le bain, le change.
- Il éclate de rire si vous le chatouillez.
- Il se détend si vous lui chantez une chanson.

Aptitudes à 5 mois

Motricité

- Il pousse fermement des deux pieds sur une surface plane, le bout de son lit par exemple.
- Il se déplace sur le sol en roulant sur lui-même et en se tournant dans tous les sens.
- Il peut garder les jambes en l'air et les agiter librement.
- Il maintient sa tête avec assurance si on le tient bien droit.

Coordination œil-main

- Il vous suit des yeux quand vous allez et venez dans la pièce.
- Il commence à chercher un objet qui lui a échappé.
- Il tend la main avec plus de précision vers un objet proche.
- Il peut garder un petit jouet dans sa main.
- Il tient fermement les objets et n'aime pas les lâcher.

Langage

- Il produit des sons de plus en plus variés, y compris des consonnes telles que « d, m et b ».
- Il utilise trois ou quatre sons associant voyelles et consonnes, par exemple « nanana ».
- Il vocalise quand vous lui parlez et essaie peut-être de vous répondre en babillant.
- Il imite peut-être vos expressions et observe vos réactions.

- Il essaie d'imiter les bruits qu'il entend.
- Il écoute attentivement et entend presque aussi bien qu'un adulte.

Apprentissages

- Il profite de toutes les occasions pour explorer.
- Il concentre bien son attention, mais préfère regarder des objets situés à moins de 1 mètre de lui.
- Il est suffisamment curieux pour s'intéresser à tout objet proche de lui.
- Il détecte précisément l'origine d'un bruit en se tournant dans cette direction.
- Il lâche un objet quand un autre attire son attention.
- Le sevrage commence avec l'introduction d'aliments solides.

Le bébé et les autres

- Il peut s'attacher à une peluche ou un autre doudou et aime l'avoir près de lui quand il s'endort.
- Il peut jouer seul de brèves périodes.
- Il s'intéresse aux environnements nouveaux.
- Il proteste si vous essayez de lui prendre un jouet.
- Il peut se montrer timide en présence de gens qu'il ne connaît pas.
- Il sourit et fait des vocalises pour attirer votre attention.

De 4 à 6 mois
(suite)

Aptitudes à 6 mois

> **Motricité**

- Il s'assoit tout seul sans soutien.
- Il soulève sa tête, sa poitrine et ses épaules du sol quand il est couché à plat ventre.
- Il commence à ramper en rapprochant un genou de son ventre.
- Il fait des mouvements énergiques pour avancer par terre.
- Il est de plus en plus apte à se retourner sur le ventre comme sur le dos.
- Il se retourne dans tous les sens.

> **Coordination œil-main**

- Il se sert simultanément de ses deux mains et peut faire passer un objet de l'une à l'autre.
- Il suit des yeux un objet qui lui a échappé.
- Il joue davantage avec ses jouets au lieu de les porter à sa bouche.
- Il aime lâcher un jouet, le ramasser et ainsi de suite.
- Il essaie de manger en portant les aliments à sa bouche avec ses doigts.
- Il saisit son biberon ou sa cuiller pendant les repas.

> **Langage**

- Il synchronise ses « phrases » avec les vôtres, comme s'il s'agissait d'une conversation.
- Il émet davantage de voyelles et de consonnes, telles que « f », « v », « ka », « da », « ma ».

- Il rit quand il est heureux et crie lorsqu'il est fâché.
- Il gazouille quand il joue avec satisfaction.
- Il commence à réagir au rythme de la musique qu'il entend.

> **Apprentissages**

- Il se reconnaît sur une photo ou dans la glace.
- Il fait passer son attention d'un objet à l'autre comme s'il les comparaît.
- Il tient un jouet dans chaque main sans les lâcher.
- Il tend la main avec détermination vers les jouets qui l'attirent.
- Il commence peut-être à comprendre le sens du mot « non ».
- Il peut faire la distinction entre les hommes et les femmes d'après le son de leur voix.

> **Le bébé et les autres**

- Il peut devenir anxieux en présence de gens qu'il ne connaît pas et se mettre à pleurer.
- Il pousse des cris de joie quand vous vous approchez de lui.
- Il se cramponne à un jouet quand vous tentez de le lui prendre.
- Il gazouille ou cesse de pleurer en réaction à une musique familière.
- Il se tourne quand il entend son nom.
- Il devient inquiet dans certaines situations, par exemple s'il s'est mis dans une position inconfortable.

De 7 à 9 mois

Aptitudes à 7 mois

> **Motricité**
- Il se retourne sans difficultés sur le dos et sur le ventre.
- Il remonte plus souvent son genou vers son ventre pour ramper.
- Il arrive peut-être à se déplacer en décollant son ventre du sol.
- Il supporte son poids sur ses jambes si on le tient sous les bras.
- Il suce souvent ses orteils.

> **Coordination œil-main**
- Il découvre d'autres façons d'explorer ses jouets, en les secouant et en tapant dessus par exemple.
- Il tire sur différentes parties de ses jouets.
- Il tient fermement les objets et a moins tendance à les lâcher.
- Il mange avec ses doigts avec plus de dextérité.
- Il commence à se servir du pouce et de l'index pour attraper.
- Il explore son visage et celui des autres avec ses mains.

> **Langage**
- Il réagit davantage quand vous lui parlez et se tournera si vous lui dites de regarder quelque chose.
- Il aime les chansons et babille en les écoutant.
- Il semble comprendre vos différentes intonations de voix, selon que vous êtes content, sérieux, étonné.
- Il comprend clairement le sens d'un « non « catégorique.
- Il aime faire « bou-bou » en faisant vibrer ses lèvres.

> **Apprentissages**
- Il se souvient des visages familiers même s'il ne les voit pas souvent, celui de sa baby-sitter par exemple.
- Il cherchera un objet qui a disparu de sa vue.
- Il sait agiter les jouets pour qu'ils fassent du bruit.
- Il comprend qu'il peut déplacer les objets.

> **Le bébé et les autres**
- Il vous fait savoir s'il est content ou malheureux.
- Il proteste si vous l'empêchez de faire quelque chose.
- Il est très conscient des compliments et de votre enthousiasme.
- Il est doué pour attirer l'attention quand il s'ennuie.
- Il aime la routine, l'heure du bain et du coucher par exemple.

De 7 à 9 mois
(suite)

Aptitudes à 8 mois

› Motricité

• Il a davantage de force dans les jambes et dans les pieds ; il tente des équilibres plus risqués.

• Il tient sur ses jambes en s'agrippant à une chaise.

• Il peut ramper en avant et en arrière.

• Il arrive à se mettre debout bien que cela lui demande un gros effort.

› Coordination œil-main

• Il attrape un objet entre le pouce et l'index.

• Il ouvre et ferme volontairement les mains.

• Il aime jeter des objets quand il est dans sa chaise haute.

• Il essaie de tirer sur une corde attachée à un jouet.

› Langage

• Il essaie d'imiter les sons que vous prononcez.

• Il répète inlassablement le même son, des syllabes de mots que vous employez par exemple.

• Il ouvre et ferme la bouche quand il vous regarde manger en imitant le mouvement de votre mâchoire.

• Il crie pour attirer votre attention.

› Apprentissages

• Il cherche un objet caché.

• On voit à son expression qu'il reconnaît un jouet qu'il n'a pas vu depuis des semaines.

• Il joue avec deux ou trois jouets à la fois.

• Il s'intéresse aux nouveaux objets.

• Il découvre de nouvelles propriétés à ses jouets : la balle qu'il mâchonnait roule s'il la pousse.

• Il fait un effort pour atteindre les objets à une certaine distance de lui.

• Il commence à imiter vos gestes, lorsque vous agitez la main par exemple.

• Il reste éveillé plus longtemps ; une seule sieste dans la journée lui suffit peut-être.

› Le bébé et les autres

• Il provoque le contact avec d'autres adultes.

• Il se cramponne à vous s'il y a beaucoup de monde autour.

• Il peut être intimidé et protester si des gens qu'il ne connaît pas le prennent dans leurs bras.

• Il est fasciné par son image dans la glace et les photos de famille.

• Il apprécie la présence d'autres bébés même s'il ne joue pas avec eux.

• Il peut répondre à des questions simples par des expressions, des gestes ou des sons.

Aptitudes à 9 mois

> ### Motricité

- Il peut faire un tour sur lui-même en rampant.
- Il se déplace sans peine dans la pièce.
- Il fait un pas en avant quand on le tient sous les bras.
- Il montre qu'il a envie de monter un escalier.

> ### Coordination œil-main

- Il tient certains aliments, un petit pois ou un grain de raisin par exemple, entre le pouce et l'index.
- Les mouvements des mains sont mieux coordonnés ; il parvient peut-être à mettre deux cubes l'un sur l'autre.
- Il rapproche volontairement ses mains l'une de l'autre.
- Il explore son environnement des yeux ; il est attentif aux petits détails.
- Il peut être capable de désigner un objet qu'il veut.

> ### Langage

- Il parvient à prononcer deux syllabes à la fois, par exemple « dada », « mama ».
- Il dit son premier mot, même si le sens reste un peu flou.
- Il écoute quand vous lui parlez et comprend des directives simples, par exemple : « Viens par là ».

- Il s'arrête de jouer pour déterminer la source d'un bruit, une sonnerie par exemple.
- Il arrive peut-être à imiter le cri d'animaux si vous lui montrez.

> ### Apprentissages

- Il adore sentir la texture des objets.
- Il dispose de petits jouets dans des ordres divers.
- Il tape deux petits jouets l'un contre l'autre pour faire du bruit.
- Il imite un adulte qui agite les mains devant lui.
- Il aime les jeux et les chants souvent répétés et rit toujours au même moment.
- Il fait le rapport entre différentes actions, par exemple s'il tire sur le tapis, le jouet posé dessus se rapprochera.

> ### Le bébé et les autres

- Il s'intéresse aux bébés de son âge ; il peut dévisager ou toucher un autre enfant.
- Il protège ses jouets si un autre enfant approche.
- Il se fâche s'il voit que vous ou d'autres enfants sont en colère.
- Il lève parfois les yeux vers vous pendant qu'il joue par terre.
- Il réagit à un public et répétera une action si on l'applaudit.

De 10 mois à 1 an

Aptitudes à 10 mois

Motricité

- Il aime regarder tout ce qui l'entoure en étant debout.
- Il rampe et se déplace sans peine par terre.
- Il monte la première marche d'un escalier, et redescend en se laissant glisser.
- Il tient sur ses deux jambes en s'agrippant à un support.

Coordination œil-main

- Il aime s'amuser avec des jouets qui se déplacent tout seuls.
- Il aime explorer boîtes, placards et tiroirs.
- Il attrape deux petits cubes d'une seule main.
- On peut commencer à déterminer quelle main il préfère utiliser.
- Il apprécie les chansons qui s'accompagnent de gestes comme « ainsi font-font-font... ».

Langage

- Il associe différentes syllabes, par exemple « ah-le » ou « bou-ah ».
- Il interrompt ce qu'il fait et vous écoute si vous l'appelez.
- Il dit régulièrement un ou deux mots, pas toujours clairement articulés.

- Il babille comme s'il parlait sans que cela ait de sens.
- Il se balance en rythme sur la musique.

Apprentissages

- Il essaie d'imiter vos gestes.
- Il s'intéresse aux choses qui vont ensemble, une tasse et une soucoupe par exemple, ou les éléments d'un puzzle.
- Il écoute et suit les directives simples, comme « Donne-moi cette tasse ».
- Il aime encastrer des formes.
- Il passe un cinquième de son temps d'éveil à observer.

Le bébé et les autres

- Il fait des câlins en plus d'en recevoir.
- Il aime les jeux interactifs, comme cacher son visage dans ses mains et le montrer tout à coup.
- Il peut jouer tout seul.
- Il peut être inquiet dans les endroits qu'il ne connaît pas.
- Il se blottit contre vous quand vous lui lisez une histoire.
- Il ne se rend pas compte de l'effet de ses actes sur les autres enfants.

Développement de votre bébé

Aptitudes à 11 mois

❭ Motricité

- Il se déplace assez rapidement dans une pièce en se tenant aux meubles.
- Il s'assoit par terre lentement en atterrissant en douceur.
- Il se déplace parfois sur les fesses.
- Il peut se pencher sans soutien vers un objet posé par terre.

❭ Coordination œil-main

- Il est fasciné par les récipients et les secoue.
- Il essaie d'ôter le couvercle des boîtes pour voir ce qu'il y a dedans.
- Il a acquis une bonne coordination du pouce et de l'index.
- Il tourne les pages d'un livre si vous êtes assis près de lui.
- Il aime mettre une chose dans une autre.
- Il peut être capable de construire une petite tour en empilant des cubes.

❭ Langage

- Il vous écoute très attentivement quand vous lui parlez.
- Il obéit à des directives simples, si vous lui demandez par exemple de vous donner quelque chose ou de le reprendre.
- Il prononce parfois des mots, même si l'essentiel de ce qu'il dit n'a pas de sens.
- Il aime s'amuser avec des jouets qui font de la musique et produisent des bruits en accompagnement.
- Il désignera un objet dans un livre si vous dites son nom.

❭ Apprentissages

- Il se concentre mieux et peut s'absorber dans une activité pendant au moins une minute.
- Il est capable de mettre un petit cube dans un gobelet en plastique.
- Il imite de plus en plus vos actions tandis que vous allez et venez dans la maison.
- Il essaie quelque chose, puis réfléchit à son acte pendant quelques instants.
- Il peut tenter de faire les gestes à votre place dans le cadre d'une activité qui lui est familière.

❭ Le bébé et les autres

- Il s'énerve quand vous l'empêchez de faire quelque chose et pique assez vite une colère.
- Il passe rapidement d'une humeur à une autre.
- Il dévisage les autres enfants, mais ne joue pas avec eux.
- Il aime faire des choses que vous approuvez.
- Il se sent très en sécurité avec vous et inquiet en présence d'inconnus.

De 10 mois à 1 an
(suite)

Aptitudes à 1 an

› Motricité

- Il commence à faire quelques pas tout seul.
- Il est plus sûr de lui quand il grimpe les marches.
- Il se contrôle mieux lorsqu'il passe de la position debout à la position assise.
- Il se déplace facilement à quatre pattes.
- Il marche peut-être si vous lui tenez les mains ou s'il pousse un porteur.

› Coordination œil-main

- Il commence à utiliser sa cuiller pour remuer plutôt que pour taper.
- Il passe du temps à faire des constructions avec des petits cubes en bois.
- Il aime jouer avec l'eau et sait verser avec un récipient tenu dans sa main droite ou gauche.
- Il arrive à encastrer des formes simples.
- Il peut être capable de faire une marque sur un papier avec un pastel.
- On voit mieux quelle main il préfère.

› Langage

- Il a prononcé son premier mot, le plus souvent « papa ».
- Il est capable d'utiliser deux ou trois mots correspondant à des choses qui lui sont familières, par exemple « chien ».
- Il suit régulièrement des directives simples.
- Il entend très bien, mais se désintéresse des sons répétitifs.
- Il connaît les noms des autres membres de la famille.

› Apprentissages

- Il comprend les directives liées à des gestes qu'il connaît, par exemple « dis au revoir ».
- Il vous imite quand vous tapez deux cubes en bois l'un contre l'autre.
- Il est intrigué par les objets qui font du bruit quand on les secoue.
- Il fait un gros effort pour assembler les éléments d'un puzzle simple.
- Il hésite si on lui donne un nouveau puzzle, mais essayera de l'assembler sur la base de ce qu'il sait déjà.
- Il a besoin de moins de sommeil : il peut rester éveillé jusqu'à 11 heures par jour.

› Le bébé et les autres

- Il apprécie tous les jeux que vous faites ensemble.
- Il se montre très affectueux avec vous et le reste de la famille.
- Il se mettra peut-être en colère s'il refuse de coopérer.
- Il préfère jouer avec un enfant du même sexe que lui s'il a le choix.
- Il joue près d'un autre enfant de son âge et avec un enfant plus âgé.
- Il croit fermement en ses capacités et s'énerve de plus en plus s'il ne réussit pas ce qu'il entreprend.

De 13 à 15 mois

Aptitudes à 13 mois

> #### Motricité
> - Il passe beaucoup de temps à essayer de monter les marches et découvre qu'il est plus difficile de redescendre.
> - Il tient mieux sur ses jambes, même s'il tombe encore souvent.
> - Il prendra peut-être appui sur une chaise ou un porteur pour se soutenir quand il marche.
> - Il est déterminé à marcher tout seul malgré des chutes fréquentes.

> #### Coordination œil-main
> - Il désigne un objet pour vous montrer qu'il le veut.
> - Il a plaisir à faire des marques sur une feuille avec un pastel ou un crayon à papier.
> - Il joue à enfoncer des clous sur une planche dans son atelier en plastique.
> - Il joue avec un téléphone en plastique en décrochant et en raccrochant tour à tour.

> #### Langage
> - Il reconnaît son nom, mais ne peut pas encore le dire.
> - Il dit cinq ou six mots dans le contexte approprié.
> - Il montre son mécontentement quand il n'apprécie pas ce que vous faites.

> - Il produit des sons mélodieux en entendant une musique qu'il connaît.

> #### Apprentissages
> - Il essaie d'utiliser une cuiller pour manger.
> - Il s'amuse à désigner les reproductions d'objets familiers dans un livre.
> - Il se concentre plus longtemps sur des puzzles simples.
> - Il montre un intérêt pour les programmes de télévision et les vidéos.
> - Il commence à faire preuve d'imagination quand il joue.

> #### Le bébé et les autres
> - Il commence à manifester sa volonté d'indépendance en essayant, par exemple, de vous aider quand vous l'habillez.
> - Il a moins tendance à faire la sieste l'après-midi.
> - Il vous fera un gros câlin quand il est content.
> - Il tient un gobelet à deux mains pour boire, avec un peu d'aide.
> - Il prête peut-être ses jouets à un autre enfant.
> - Il joue à côté d'un enfant de son âge plutôt qu'avec lui.

De 13 à 15 mois
(suite)

Aptitudes à 14 mois

> **Motricité**

- Il trottine dans la maison en trébuchant sur les objets qui sont par terre.
- Il peut s'arrêter et changer de direction quand il marche.
- Il insiste pour marcher tout seul quand il est dehors avec vous.
- Il monte l'escalier à quatre pattes ou en se hissant d'une marche à l'autre.
- Il rampe encore de temps en temps, même s'il peut marcher.

> **Coordination œil-main**

- Il dessine avec ses pastels au lieu de les porter à sa bouche.
- Il peut construire une tour de 2 ou 3 cubes.
- Il parvient à assembler des éléments plus compliqués.
- Il lève les bras quand vous lui apportez son pull.
- Il peut être en mesure de jeter une balle légère de taille moyenne.

> **Langage**

- Il essaie de chanter avec vous.
- Il commence à apprendre les noms des parties du corps.
- Il écoute attentivement les autres enfants lorsqu'ils parlent ensemble.
- Il aime produire des sons avec des instruments de musique.
- Son babillage a le rythme de la parole.
- Il est fasciné par le langage des autres enfants de son âge.

> **Apprentissages**

- Il peut accomplir une tâche simple mais relativement longue si on l'encourage.
- Il peut se détourner de ce qu'il fait, puis y revenir.
- Il a envie d'explorer toute la maison, mais n'est pas conscient du danger.
- Il a une expression sérieuse quand vous lui lisez une histoire.
- Il fait preuve de plus en plus d'imagination quand il joue, à la dînette par exemple.

> **Le bébé et les autres**

- Il est plus sûr de lui en société, même s'il est parfois terrifié par des inconnus.
- Il est de plus en plus conscient de sa personne et de ce qu'il aime et n'aime pas.
- Il se rend compte que son nom est différent de celui des autres.
- Il risque de se découvrir une peur, des animaux par exemple.
- Il adore être indépendant et se débrouiller tout seul.
- Il peut s'attacher davantage à un parent qu'à un autre, mais temporairement.

Aptitudes à 15 mois

❯ Motricité

- Il se déplace avec assurance dans toute la maison.
- Il a un meilleur équilibre quand il marche et maintient ses bras plus près de son corps.
- Il peut s'arrêter quand il marche et se pencher pour ramasser un objet.
- Il tente de rester sur place et de donner un coup de pied dans un ballon si on l'encourage à le faire. Même s'il échoue ou bascule en arrière, il sera content d'essayer.
- Il réussit à grimper dans sa chaise haute tout seul et à en redescendre.
- Il parvient peut-être à s'agenouiller sur une chaise près d'une table.

❯ Coordination œil-main

- Il peut tenir deux petits objets dans chaque main en même temps.
- Il tient fermement les objets dans sa main et les laisse rarement tomber accidentellement.
- Il aime jouer avec des objets qui bougent tout seuls et les regarder rouler.
- Il aime assembler les éléments d'un puzzle en bois simple.

❯ Langage

- Il peut prononcer cinq ou six mots.
- Il comprend beaucoup plus de mots qu'il ne peut en dire.

- Il est ravi quand vous lui chantez des chansons qu'il connaît.
- Il peut suivre des directives de plus en plus nombreuses, comme « Lâche ce jouet » ou « Prends ce biscuit ».

❯ Apprentissages

- Il se concentre bien jusqu'à ce qu'il ait fini une activité.
- Il aime jouer à « faire semblant », que ce soit seul ou avec vous.
- Il essaie de ranger ses jouets si vous lui demandez.
- Il aime jouer dans le sable et avec l'eau.

❯ Le bébé et les autres

- Il est très déterminé à obtenir ce qu'il veut.
- Il se met en colère s'il se sent frustré.
- Il veut manger tout seul, même s'il n'y arrive pas tout à fait.
- Il veut tout explorer, même si c'est dangereux.
- Il commence à montrer des signes de jalousie quand vous vous intéressez aux autres.
- Il apprécie les repas en famille.
- Il commence à devenir sociable, en disant « bonjour » par exemple.

LA MOTRICITÉ

Le développement de la motricité

Entre le moment où votre enfant est un nourrisson qui contrôle à peine ses mouvements, et celui où il atteint l'âge de 15 mois et marche déjà probablement, se produit la phase la plus spectaculaire de son développement. Les progrès physiques qui ont lieu en un laps de temps si court sont fulgurants.

Un nouveau-né a une force étonnante, même si ses mouvements sont désordonnés.

Le plus surprenant est qu'une partie de ces changements, qui permettent à votre enfant de contrôler peu à peu ses mouvements, semble survenir spontanément, sans la moindre incitation, au rythme de son évolution physique et neurologique. Prenons le cas de ce premier pas si important ! Quoi que vous fassiez pour encourager votre bébé à marcher de bonne heure, il n'y arrivera pas tant qu'il ne sera pas prêt naturellement à le faire.

Dans le cas de la marche, comme pour d'autres aptitudes physiques, il est impossible de précipiter les choses. Vous aurez beau entraîner un bébé de 4 mois à marcher, à cet âge il ne peut pas coordonner les mouvements des jambes et du corps nécessaires.

Dans d'autres domaines de la motricité, en revanche, il est évident que la pratique a une incidence. Un enfant qu'on laisse ramper librement réussira sans doute mieux à se déplacer que si on l'en empêche. Il en va de même pour ce qui est de monter et descendre des marches. Ainsi, pour encourager un enfant à se déplacer de lui-même, il est important de comprendre que le rythme de son développement physique et neurologique compte pour beaucoup, et qu'il limite l'effet de la pratique.

Bien sûr, le désir de marcher est présent presque dès la naissance. Si vous tenez votre nouveau-né fermement sous les bras (en soutenant délicatement sa tête à l'aide de vos pouces) et si vous posez la plante de ses pieds sur une surface plate, il remuera automatiquement les jambes comme s'il faisait des pas. Vous aurez l'impression qu'il marche, mais ce n'est pas le cas. D'ici douze mois pourtant, cette réaction naturelle, involontaire, fera partie de ses mouvements contrôlés.

La prise de contrôle

Chaque enfant a un rythme de développement spécifique pour ce qui est du mouvement mais, en règle générale, son aptitude à contrôler les mouvements de son corps au cours des quinze premiers mois suit deux orientations :

- **De la tête vers les jambes.** Il commence par maîtriser le haut de son corps avant le bas. Par exemple, il pourra tenir sa tête droite avant que sa colonne vertébrale soit assez forte pour lui permettre de s'asseoir tout seul. Il sera capable de s'asseoir longtemps avant de pouvoir marcher.
- **Du buste vers les extrémités.** Votre bébé contrôlera son corps avant ses mains et ses pieds. Par exemple, il pourra soulever sa poitrine du sol avant de saisir quoi que ce soit avec ses mains, et sera capable de ramasser un objet avant de lancer un ballon avec le pied.

Des études scientifiques ont montré que ces deux orientations du mouvement correspondent au développement cérébral du bébé. En d'autres termes, la partie du cerveau responsable de la tête et du buste évolue plus vite que celle qui contrôle les mouvements des bras et des jambes… d'où ces progrès à deux niveaux.

Par ailleurs, le contrôle du mouvement se développe progressivement et logiquement, de manière à atteindre un objectif final : permettre à l'enfant de marcher. Un bébé qui ne contrôlerait pas sa tête et ne pourrait pas la tenir droite serait incapable de marcher même si ses jambes étaient assez fortes. De la même manière, votre enfant a besoin de contrôler son buste et ses hanches pour garder l'équilibre quand il marche : sinon, il basculerait. Il commence en fait à apprendre à marcher bien avant de tenir sur ses deux jambes. Dès que votre nouveau-né essaie de lever la tête pour voir ce qui se passe autour de lui, il a entamé la phase de développement qui vous amènera au bout du compte à lui acheter sa première paire de chaussures !

Chacun à sa manière

Autre aspect étonnant du mouvement chez les bébés : si la majorité d'entre eux franchissent les étapes au même âge environ (par exemple, la plupart sont capables de s'asseoir tout seuls vers l'âge de 6 mois), la manière dont chaque étape se déroule varie considérablement d'un enfant à l'autre. Ramper et marcher sont pour cela de bons exemples. Votre bébé aime peut-être se promener à quatre pattes alors que celui de vos meilleurs amis préfère se déplacer les fesses en l'air et les jambes tendues. Il n'empêche qu'ils se déplacent tous les deux, chacun à leur manière.

Certains enfants aiment tellement peu ramper qu'ils se désintéressent complètement de ce moyen de locomotion et passent pour ainsi dire sans transition de la position assise à la marche. Il en va de même dans le cas des premiers pas. Votre enfant s'est peut-être assis puis a rampé, s'est levé et a marché. Certains choisissent une phase intermédiaire qui consiste à se déplacer sur le derrière : assis par terre, ils soulèvent puis reposent leurs fesses en appuyant sur leurs jambes pour avancer. Laissez votre bébé trouver ses propres étapes pour parvenir au contrôle de ses mouvements. Ne vous inquiétez pas s'il ne suit pas exactement le même rythme de développement que les autres enfants de son âge. Tous finissent par y arriver !

À 15 mois, ce petit garçon maîtrise un mouvement difficile : s'asseoir sur une chaise.

De la naissance à 7 mois

Âge	Quelles sont ses capacités ?	Comment le stimuler ?
1 semaine	› Il veut voir le monde de différents points de vue, mais n'a pas encore assez de force pour soulever sa tête ou la tourner de côté.	› Quand vous prenez votre nouveau-né dans son berceau, tenez-lui doucement mais fermement le bas du dos en soutenant délicatement sa tête. Soulevez-le avec les deux mains à la fois pour que sa tête soit dans l'axe de son corps.
1 mois	› Il découvre avec bonheur qu'il contrôle mieux sa tête : il peut même la soulever quand il est à plat ventre.	› Quand il est à plat ventre dans son berceau, approchez votre visage du sien pour qu'il puisse vous voir s'il redresse la tête. Puis appelez-le d'une voix douce et souriez-lui. Il lèvera la tête quelques secondes pour vous regarder.
2 mois	› Il a un contrôle très limité de ses jambes et de ses bras, suffisant tout de même pour les bouger d'une manière désordonnée s'il le veut.	› Allongez votre enfant sur le dos dans son berceau. Quand il est bien installé, souriez-lui et faites un bruit pour montrer que vous êtes content de le voir. Il agitera vigoureusement les bras et les jambes en réaction. C'est sa manière de vous indiquer qu'il est heureux.
3 mois	› Il lève beaucoup plus facilement la tête maintenant, qu'il soit couché sur le ventre ou sur le dos, et voit mieux ce qui l'entoure.	› Disposez une couverture confortable par terre et allongez votre bébé dessus sur le dos. Une fois qu'il est détendu dans cette position, prenez ses mains dans les vôtres comme si vous vouliez l'attirer vers vous. Il lèvera la tête parce qu'il s'attend à ce que vous le fassiez.

La motricité

Âge	Quelles sont ses capacités ?	Comment le stimuler ?
4 mois	› Une plus grande force dans le dos lui permet de commencer à rester assis, même s'il n'y arrive pas encore sans soutien.	› Asseyez-le sur une surface plate où il ne risque pas de glisser, les jambes écartées en V. Si vous lui soutenez le dos avec un coussin, par exemple, il pourra rester assis dans cette position. S'il se tourne trop vite, cependant, il dodelinera de la tête.
5 mois	› Maintenant qu'il a plus de force dans les jambes et les pieds, il peut pousser fermement contre un support à sa portée.	› Quand il est couché dans son lit, les pieds en l'air, mettez les paumes de vos mains contre la plante de ses pieds et restez dans cette position. Il poussera probablement si fort contre vos mains que son corps reculera sur le matelas.
6 mois	› À cet âge, la plupart des enfants sont capables de rester assis tout seuls sans aucun soutien.	› Asseyez-vous par terre avec lui et installez-le près de vous de manière à ce qu'il soit assis dans une position stable. Disposez des coussins autour de lui pour lui éviter de basculer. Il tiendra sa tête bien droite et se tournera avec assurance si quelque chose attire son attention.
7 mois	› En plus de pouvoir se retourner sur les côtés, votre enfant commence peut-être à vouloir ramper.	› Mettez-le à plat ventre sur un sol propre et posez un petit jouet qu'il aime bien ou son doudou en face de lui, pour qu'il le voie bien. Il essayera de s'en approcher, peut-être en remontant un genou vers son ventre.

➤ De 8 à 15 mois

Âge	Quelles sont ses capacités ?	Comment le stimuler ?
8 mois	❯ Parce qu'il a plus de force dans les bras et les pieds, il est suffisamment sûr de lui pour tenter des mouvements en équilibre plus risqués.	❯ En le tenant fermement sous les bras, face à vous, rapprochez-le doucement d'une surface solide sans cesser de lui sourire. Dès que ses pieds touchent le sol, il fera peser son poids sur ses jambes écartées et bondira peut-être même sur place.
9 mois	❯ Ses mouvements à quatre pattes sont mieux coordonnés, et il commence à contrôler globalement son corps de la tête aux pieds.	❯ Couché à plat ventre par terre, il fera de vigoureuses tentatives pour atteindre un objet qui attire son attention. Il remontera probablement ses genoux vers son ventre en tendant les bras. Avec un peu de chance, il avancera en direction de l'objet.
10 mois	❯ À cet âge, certains enfants sont capables de se mettre debout pour partir à la découverte de ce qui les entoure.	❯ Mettez-le debout en le tenant sous les bras et aidez-le à agripper le bord d'une table basse. Si vous éloignez vos mains de quelques centimètres, il se maintiendra peut-être debout en se tenant à la table.
11 mois	❯ Le monde lui appartient maintenant qu'il peut se déplacer sans dépendre de vous.	❯ Posez un objet à quelques mètres de lui et regardez-le s'en approcher, peut-être à quatre pattes ou en progressant sur son postérieur. D'une manière ou d'une autre, le fait est qu'il avance !

La motricité

Âge	Quelles sont ses capacités ?	Comment le stimuler ?
1 an	› Pour beaucoup d'enfants – mais certainement pas tous –, c'est le moment où ils commencent à marcher tout seuls.	› Prenez ses mains dans les vôtres alors qu'il se tient face à vous. Une fois qu'il est stable, reculez un peu tout en l'incitant à avancer vers vous. Il fera peut-être un ou deux pas hésitants.
13 mois	› Les escaliers fascinent votre enfant depuis des mois, mais son développement physique maintenant au point et sa confiance en lui font qu'il est prêt à grimper.	› Encouragez votre enfant à essayer de monter l'escalier, mais soyez prêt à l'aider si nécessaire. Il s'apercevra que la descente est plus difficile qu'il ne le croyait et éclatera peut-être en sanglots quand il découvrira qu'il est à mi-chemin.
14 mois	› À cet âge, la plupart des enfants se tiennent debout bien que certains soient plus stables que d'autres. Si le vôtre ne marche pas encore, ne vous inquiétez pas ! Il a tout le temps !	› Placez-vous à quelques mètres de votre enfant et tendez-lui un jouet. Quand il trottine vers vous, allez dans un autre endroit de la pièce. Il est capable de s'arrêter, de se contrôler, de se tourner vers vous et de changer de direction sans tomber.
15 mois	› Le contrôle qu'il a de son buste, de sa tête et de ses jambes lui permet d'entreprendre un plus grand nombre d'activités d'exploration sans avoir besoin de personne pour garder son équilibre.	› Votre enfant a probablement une table à sa hauteur et une chaise appropriée à sa taille. Disposez des petits jouets sur la table pour qu'il joue et vous verrez qu'il est capable de s'agenouiller sans difficulté sur la chaise pour attraper les jouets.

DES CHANGEMENTS SUBTILS

⬎ Les progrès des mouvements de la tête et du corps sont notables si vous y êtes attentif. Au bout de quelques semaines, votre enfant pourra bouger la tête des deux côtés, mais il la tournera le plus souvent vers la droite, sa joue reposant sur le matelas. C'est un réflexe normal.

⬎ Vers l'âge de 3 mois, il passe beaucoup plus de temps avec l'arrière de la tête à plat sur le matelas. Grâce à un meilleur contrôle de ses muscles, il a un plus grand choix de points de vue. Ses premiers réflexes sont peu à peu remplacés par les mouvements acquis.

Stimuler sa motricité :
de la naissance à 3 mois

Si votre bébé a un besoin naturel d'explorer son environnement, il contrôle à peine ses mouvements pendant les premiers mois. À la naissance, par exemple, il est incapable de tenir sa tête droite sans soutien ou de se retourner sur le côté, qu'il soit couché sur le dos ou sur le ventre. Cela ne l'empêchera pas d'essayer. Vous le verrez souvent tenter sans succès de se mettre dans une nouvelle position.

Les bébés adorent être adossés, mais assurez-vous que la tête, le cou et le dos de votre enfant sont bien soutenus.

Quelques suggestions

C'est couché sur le dos qu'un nourrisson est le plus à son aise quand il est dans son berceau. Cela lui donne la possibilité d'agiter librement ses pieds et ses bras en l'air. Au bout de quelques semaines, ses mouvements deviendront plus énergiques et coordonnés mais, pour le moment, il a besoin de rester allongé de temps en temps sur son matelas sans le poids des couvertures. Si la température de la pièce est adaptée et qu'il est bien couvert, il sera heureux de pouvoir bouger sans gêne.

Bien sûr, si son environnement stimule son intérêt, il fera davantage d'efforts pour bouger. C'est la raison pour laquelle vous devriez disposer des jouets à portée de sa vue afin qu'il ait envie de s'en approcher. Un mobile suspendu au-dessus de son lit l'incitera aussi à bouger. Les bébés s'ennuient facilement : essayez de varier au maximum les jouets qui l'entourent. Un changement de paysage stimulera son attention.

Les muscles de son cou ne sont pas encore très développés, ce qui veut dire qu'il contrôle difficilement les mouvements de sa tête et de son buste : mais il se débrouillera tout de même pour s'approcher dans le but de voir les objets qui l'attirent.

● Conseils malins

1. **Laissez-le agiter les jambes autant qu'il en a envie quand vous le changez.** Il adore se sentir libéré de la couche et se mettra peut-être à gigoter sous l'effet de l'excitation. Maintenez-le bien pendant qu'il donne de furieux coups de pieds.

2. **Allongez-vous par terre avec lui.** Il apprécie d'être près de vous aussi souvent que possible. Quand vous êtes proche de lui, il essaie de vous regarder ou de s'approcher de vous.

3. **Pour des raisons de sécurité, surveillez-le de près quand il n'est pas dans son lit.** Vous serez étonné de voir qu'un petit bébé peut progressivement changer de position. Malgré son manque de coordination, il est tout à fait capable de se déplacer.

4. **Mettez ses jouets d'un côté de son lit un jour et de l'autre côté** le lendemain. En alternant ainsi leur place, vous l'encouragez à utiliser tous les muscles de son corps quand il essaie de les attraper.

5. **Réduisez peu à peu le soutien au niveau de sa tête quand vous le tenez debout.** Progressez avec prudence. Vous ne devez certainement pas laisser sa tête basculer en arrière, mais ne faites pas le travail si ses muscles en sont capables.

Q & R

Q Pourquoi mon bébé remue-t- il plus les bras et les jambes quand il n'est pas content ?

R C'est sa manière à lui de vous dire qu'il est malheureux. Comme il ne peut pas exprimer son inconfort par des mots, il se sert des moyens à sa disposition pour vous indiquer ce qu'il ressent. Ses pleurs, accompagnés de mouvements rapides des membres, vous transmettent un message évident.

Q Est-ce que je risque de lui faire mal aux jambes en les pliant et en les allongeant tour à tour pour les renforcer ?

R Tant que vous le faites en douceur, les muscles de ses jambes bénéficieront probablement de cet exercice. Mais ne forcez pas. Si vous effectuez le mouvement très doucement en lui parlant, il sera sûrement ravi.

Jouets : cubes en plastique, boulier, tapis d'activités pour le lit, portique d'activités.

Si on tient un nouveau-né en position debout, un pied en contact avec une surface plane, il lèvera automatiquement la jambe et avancera l'autre jambe comme s'il marchait. Ce réflexe disparaît vers la sixième semaine.

Votre bébé aime aussi être couché sur le ventre, dans son lit ou sur un sol propre. Dans cette position, sa curiosité naturelle le pousse à essayer de lever la tête.

Jusqu'à l'âge de 5 ou 6 semaines, il n'y parviendra pas plus de quelques secondes à la fois, mais par la suite, les muscles de son cou, de plus en plus forts, lui permettront de rester plus longtemps. On pourrait le comparer à un adulte manquant de tonus en train de faire des pompes ! C'est un bon exercice pour lui. En plus de rendre ses journées plus stimulantes, c'est aussi l'occasion de développer ces mouvements très simples.

Quand votre bébé aura quelques mois, vous pourrez le tenir en position debout, mais en le soutenant bien parce que son dos ne supportera pas la tension tout seul. Il adore contempler ce qui l'entoure sous cet angle. Dès qu'il est dans cette position, si vous l'asseyez sur votre genou par exemple, les mouvements de sa tête et de son cou seront plus variés et plus énergiques.

Stimuler sa motricité :
de 4 à 6 mois

La plupart des réflexes de la petite enfance ont disparu et votre bébé contrôle beaucoup mieux ses bras, ses jambes, son buste et sa tête.
Le changement le plus significatif est sans doute que maintenant il est capable de s'asseoir en étant moins soutenu. Dès 6 mois, il se débrouille même tout seul !

Quelques suggestions

La tête de votre enfant a de moins en moins tendance à être dans un axe différent du reste de son corps. Il peut désormais bouger sans en perdre totalement le contrôle.

En plaçant un de ses jouets préférés juste au-delà de sa portée, vous encouragez votre bébé à essayer d'avancer.

JE PEUX ME RETOURNER !

Vers 4 mois, votre bébé pourra se tourner dans les deux sens. À un moment, il est allongé sur le côté gauche ; quelques secondes plus tard, il est tourné vers la droite. C'est un remarquable exploit nécessitant la coordination de la tête, du cou, des hanches, des bras et des jambes.

Il peut changer de position sans votre aide, ce qui lui donne beaucoup plus d'indépendance.

Il pourra bientôt se tourner indifféremment sur le ventre ou sur le dos. Cette démonstration de force lui offre davantage de moyens d'explorer et de découvrir son environnement, et prouve qu'il est presque prêt à s'asseoir, à marcher à quatre pattes, puis debout.

Q & R

Q Pourquoi mon bébé de 5 mois soulève-t-il le plus souvent ses jambes du lit alors qu'il les laissait auparavant posées ?

R C'est simplement dû au fait qu'il a plus de force dans les jambes et qu'il est moins passif. Il est plus à son aise les jambes en l'air et peut plus facilement les bouger sans se heurter à quoi que ce soit.

Q Faut-il le calmer lorsqu'il gigote dans son bain ?

R Vous devez avant tout penser à sa sécurité, mais si vous le tenez fermement, laissez-le se trémousser et éclabousser. La sensation de l'eau chaude sur ses jambes, associée au bruit des clapotis, l'amuse beaucoup. Prolongez le bain de quelques minutes pour qu'il ait le temps de profiter de cette nouvelle découverte

Jouets : Porteur, tapis de jeux, livres en tissu, cubes en plastique, jouets pour le bain, coussins, formes en bois à encastrer, Youpala.

De ce fait, il se sent plus sûr de lui et adore quand vous le faites doucement rebondir sur vos genoux en l'asseyant face à vous. Évidemment, il ne tient pas encore d'aplomb et vous devez l'empêcher de tomber, mais il trouve cette activité très amusante et rit de bon cœur !

D'autres jeux de mouvement lui plaisent aussi : vous pouvez par exemple le balancer doucement de côté en le tenant fermement sous les bras. Vous remarquerez que son équilibre s'améliore petit à petit entre le quatrième et le sixième mois. Il bouge avec de plus en plus d'assurance.

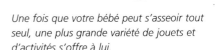

Une fois que votre bébé peut s'asseoir tout seul, une plus grande variété de jouets et d'activités s'offre à lui.

Des exercices faciles pour renforcer les muscles de son dos, de son buste et de son cou peuvent désormais jouer un rôle important dans ses activités quotidiennes, mais faites bien attention à ne pas forcer votre enfant s'il s'y oppose.

Essayez ceci : allongez-le par terre sur le dos et agenouillez-vous à ses pieds de manière à ce qu'il puisse facilement concentrer son attention sur votre visage, puis attirez son attention et tendez-lui vos index pour qu'il les attrape. Quand vous sentez qu'il vous tient bien, levez les mains de quelques centimètres.

Dès l'âge de 4 ou 5 mois, votre enfant sera sans doute capable de se tourner sur le dos quand il est couché sur le ventre, ce qui est plus facile que l'inverse parce qu'il peut pousser avec les mains pour démarrer le mouvement.

Il continue à avoir besoin d'être régulièrement allongé sur le ventre. C'est dans cette position seulement qu'il peut se dresser en prenant appui sur le sol pour renforcer le haut de son corps.

À 6 mois, il pourra décoller la tête, les épaules et le buste du sol, de manière à ce que seules ses hanches et ses jambes soient encore en contact avec la surface. Et si votre visage souriant est là pour l'accueillir, il se donnera encore plus de mal pour atteindre ce but !

Ne négligez pas les muscles de ses jambes. Avec un peu de pratique, il arrivera peut-être à supporter le poids de son corps sur ses deux pieds si vous le tenez debout.

Conseils malins

1. Chatouillez-le sous les bras et sur le corps. Ses bras et jambes s'activeront avec joie si vous le chatouillez doucement. N'en faites pas trop, car il ne s'amuserait plus du tout.

2. Lorsqu'il est à plat ventre, disposez ses jouets préférés juste au-delà de sa portée. Maintenant qu'il sait qu'il peut s'en approcher, il fera de gros efforts pour y parvenir. Évitez de mettre ces objets trop loin de peur que votre bébé n'abandonne la partie.

3. Déplacez-vous dans la pièce tout en lui parlant. Installez-le assis confortablement et parlez-lui. Au bout de quelques secondes, gagnez pas à pas l'autre bout de la pièce pour qu'il tourne la tête dans votre direction. Cela favorise le contrôle de sa tête et son équilibre.

4. Ne le bordez pas trop serré la nuit. Il a besoin de place pour bouger dans son lit en attendant de s'endormir. Les couvertures devraient être posées sur lui plutôt que maintenues sous le matelas. Comme vous, il veut être libre de changer de position.

5. Donnez-lui des petits jouets à tenir quand il est assis sur vos genoux. Son équilibre s'améliorera encore plus s'il se concentre sur une activité. Vous verrez qu'il parvient à rester assis sans basculer, tout en tenant l'objet dans sa main.

Stimuler sa motricité :
de 7 à 9 mois

⚐ Les désirs de votre bébé dépassent ses capacités de mouvement. En d'autres termes, il a des objectifs élevés et n'est pas content quand il découvre qu'il ne peut pas atteindre un jouet à un mètre de lui. Des larmes de frustration coulent facilement à cet âge-là !

⚐ Calmez-le, rassurez-le et soyez prêt à rapprocher de lui l'objet de son désespoir. La prochaine fois que vous l'entendez s'énerver pour la même raison, essayez de l'apaiser avant qu'il ne soit vraiment en colère. Il y a moins de risques qu'il pleure et renonce si vous êtes auprès de lui.

⚐ À vous de trouver un équilibre entre les encouragements l'incitant à se rapprocher de ce qui l'intéresse et une trop grande frustration.

Une fois que votre bébé contrôle les mouvements du haut de son corps au point de pouvoir s'asseoir facilement, c'est au bas de son corps d'évoluer au cours des trois mois suivants. Quand il commence à ramper et peut-être aussi à effectuer volontairement les mouvements de la marche, il découvre des moyens inédits de se déplacer dans la maison. Cela lui offre de nouvelles possibilités de jeux et augmente son envie d'explorer.

Quelques suggestions

Dès ses 6 mois, aidez votre enfant à exercer ses aptitudes, déjà acquises, à s'asseoir et à se tenir en équilibre. Par exemple, quand il est assis,

Cette petite fille de 7 mois commence à ramper bien qu'elle n'arrive pas encore à décoller tout son corps du sol.

disposez tout un assortiment de jouets autour de lui, certains de part et d'autre, d'autres hors de sa portée.

Si vous le laissez jouer seul un moment, il s'emparera d'un jouet, puis le posera pour en prendre un autre de l'autre côté. Chaque fois qu'il tend la main pour attraper un objet, le poser, il se tourne et allonge le bras. Ainsi, il améliore les mouvements du haut de son corps autant que son équilibre.

C'est durant cette phase qu'il commence à ramper. N'oubliez pas que ce processus comporte plusieurs étapes ; il ne passe pas du premier essai à la marche à quatre pattes du jour au lendemain. Ainsi, une étude psychologique a établi qu'un enfant ne franchit pas moins de 14 seuils distincts avant de marcher convenablement à quatre pattes ! Il a donc besoin de pratique et d'encouragements.

Ne vous impatientez pas s'il ne décolle pas son ventre du sol quand il rampe, par exemple : ses mouvements ne sont pas encore au point, c'est tout. Il s'améliorera spontanément et aucun exercice spécifique ne peut accélérer le processus. Assurez-vous toutefois qu'il a souvent l'occasion d'être à plat ventre par terre pour pouvoir s'entraîner et développer sa technique.

● Conseils malins

1. Faites-lui passer du temps dans le trotte-bébé. Il sera heureux d'y rester un peu, même s'il n'arrive pas à aller dans la direction qu'il souhaiterait prendre. S'il se penche trop, réinstallez-le au milieu du siège.

2. Chatouillez-lui les pieds ! La plante des pieds est très sensible. Maintenez votre main au même endroit quand vous le chatouillez pour qu'il décide s'il veut écarter les pieds ou les laisser ainsi.

3. Donnez-lui des consignes élémentaires ou posez-lui des questions simples. Par exemple, quand il est assis au milieu de ses jouets, demandez-lui : « Où est ton nounours ? » Il essayera peut-être de se tourner dans sa direction et de l'attraper.

4. Jouez à des jeux face à face. Asseyez-vous par terre en face de lui et passez-lui des jouets. Une fois qu'il est dans le rythme du jeu, placez le jouet que vous lui tendez quelques centimètres plus loin pour qu'il penche et allonge le bras afin de l'attraper.

5. Lâchez « accidentellement » des jouets. Pour l'encourager à utiliser pleinement les muscles de ses hanches et de son buste, faites comme si vous lui tendiez un jouet, puis lâchez-le délibérément et laissez-le le ramasser.

Q&R

Q Mon bébé a 9 mois. J'ai peur qu'il se fasse mal un jour en essayant de se mettre debout. Comment éviter cela ?

R Le seul moyen pour lui d'apprendre à coordonner ses mouvements consiste à affronter de nouveaux défis, et il y a toujours un risque dans ces situations. Au lieu de restreindre son activité, restez près de lui quand il s'entraîne. Ainsi, vous êtes bien placé pour éviter un accident.

Q Les autres enfants semblent actifs et pleins d'énergie du matin jusqu'au soir alors que le mien reste assis presque tout le temps. A-t-il un problème ?

R Ce manque d'activité tient sans doute plus à sa personnalité qu'à des aptitudes insuffisantes. Tant qu'il s'intéresse à ses jouets et qu'il est éveillé quand vous lui parlez, vous n'avez aucun souci à vous faire. Il fait probablement partie de ces enfants qui passent de la position assise à la marche sans transition.

Jouets : boulier, tapis d'activités, ballon mou, jouet sur roues, petite voiture solide.

Vous vous apercevrez par ailleurs que, vers l'âge de 7 mois, votre enfant arrive à se retourner facilement du ventre sur le dos, et inversement. Cela rend la vie nettement plus intéressante !

Même si, à 9 mois, il est incapable de marcher tout seul, il aura probablement le potentiel physique et suffisamment de confiance en lui pour se tenir sur ses jambes une fois qu'il est debout. Mettez-le plusieurs fois par jour dans cette position et laissez-le soutenir le poids de son propre corps en se tenant à une table basse ou à une chaise stable qui ne risque pas de basculer.

En aidant votre enfant à se tenir debout, vous améliorez sa force musculaire et son équilibre, indispensables à la marche.

N'oubliez pas qu'il tombera probablement s'il lâche prise. Tâchez de ne pas détourner son attention pendant qu'il est debout. Soyez prêt à le rattraper au vol, et s'il perd l'équilibre, rassurez-le, puis remettez-le en position. Faites-lui un gros câlin et félicitez-le quand il réussit cette étape.

Stimuler sa motricité :
de 10 mois à 1 an

À ce stade, on comprend que les progrès au niveau des mouvements et de l'équilibre de votre enfant, la force qu'il a acquise dans les jambes, les hanches et le buste, ont pour but ultime cette phase de la première année : ses premiers pas tout seul. Même s'il n'a pas commencé à marcher à 12 mois, il est sans doute sur le point de réussir l'exploit.

Quelques suggestions

Son aptitude à ramper est encore très importante et vous devriez continuer à l'encourager par d'autres moyens.

Vous pouvez aider votre bébé à faire ses premiers pas en lui tenant les mains et en multipliant les encouragements.

Q & R

Q Faut-il lâcher les mains de mon enfant pour qu'il reste debout seul et soit forcé de faire un pas en avant ?

R Cela pourrait théoriquement inciter votre enfant à marcher, mais il y a plus de chances qu'il soit terrifié. Ce genre de gestes brusques peut avoir l'effet inverse. Il aura moins confiance en vous la fois suivante.

Q Comme mon bébé est tombé plusieurs fois en essayant de marcher, il ne veut plus essayer. Que faire ?

R Donnez-lui le temps de reprendre confiance en lui et en ses aptitudes. Vous verrez que le désir naturel de marcher tout seul réapparaîtra au bout de quelques jours, dès qu'il sera remis de ce contretemps. En attendant, ne faites pas pression sur lui.

Jouets : chariot en bois avec des cubes, grande voiture solide, cubes en bois géants pour faire des parcours, chaise à sa taille.

Par exemple, installez-le dans un coin de la pièce et attirez son attention quand vous aurez gagné l'autre bout. C'est un bon exercice et il aimera faire l'expérience de se déplacer sur des distances relativement longues.

Vous pouvez aussi construire des petits parcours d'obstacles à franchir, comme un gros coussin placé stratégiquement entre vous deux qui l'oblige à grimper par-dessus pour vous atteindre. S'il est suffisamment motivé, il franchira cette barrière sans beaucoup d'efforts.

Faites de votre mieux pour qu'il se déplace quand il se tient sur ses deux jambes. Mettez-le debout (ou laissez-le se dresser), puis prenez fermement ses mains dans les vôtres de manière à ce qu'il ne puisse pas tomber ni en arrière, ni en avant, ni de côté. Pendant qu'il vous regarde, reculez un peu ; il essayera peut-être de faire un pas en avant. S'il reste cloué sur place, encouragez-le à s'approcher de vous. Vous pouvez même lui tirer doucement sur les mains pour lui indiquer la direction à prendre.

Autre solution : incitez-le à rester debout en se tenant à une rangée de meubles pour se soutenir. Il se sentira suffisamment sûr de lui pour avancer latéralement. Placez-le par exemple à un bout d'un long canapé et allez l'attendre à l'autre bout. Ou disposez une série de petites chaises en rang de manière à ce qu'il puisse progresser pas à pas d'une extrémité à l'autre sans avoir à s'asseoir en cours de route.

Vers l'âge de 1 an, votre enfant parviendra sans doute à passer d'un meuble à l'autre en se tenant d'une main.

Souvenez-vous que la marche requiert non seulement un bon équilibre et des mouvements coordonnés, mais aussi une bonne dose d'assurance ! C'est souvent le manque de confiance en soi qui empêche un enfant de faire son premier pas. Il a peur de tomber.

C'est pourquoi vous devez être patient et l'encourager. Faites tout ce que vous pouvez pour qu'il se détende et encouragez-le à marcher, mais ne l'angoissez pas, sinon il préférera rester tranquillement assis !

La plupart des enfants adorent être balancés, mais tenez-les bien sous les aisselles et jamais par les bras.

Conseils malins

1. **Utilisez son parc comme support.** S'il est dans son parc, penchez-vous vers lui et tendez-lui les bras. Attendez qu'il se mette debout à l'aide des barreaux avant de prendre ses mains dans les vôtres.

2. **Rendez l'expérience amusante !** Bien sûr, vous rêvez de voir votre enfant marcher. Mais vous énerver ne l'aidera pas. Il sera moins sûr de lui et hésitera à se lancer. Arrangez-vous pour qu'il se divertisse en même temps qu'il apprend.

3. **Félicitez-le à chaque fois qu'il progresse.** Il est inutile de trop lui en demander. Il a besoin de surmonter des défis pas à pas, sinon il perdra de son enthousiasme. Quand il parvient à un nouveau seuil, montrez-lui que vous êtes ravi.

4. **Augmentez progressivement l'espace entre les meubles.** Une fois qu'il commence à se déplacer en prenant appui sur les meubles, éloignez peu à peu chaque support l'un de l'autre afin qu'il soit obligé de se lancer pour atteindre le suivant.

5. **Attendez-vous à des périodes de progression lente.** On a parfois l'impression qu'aucune amélioration n'a lieu et même que l'enfant régresse. Cela se produit dans de nombreux cas. Votre bébé recommencera à progresser quand il sera prêt et assez sûr de lui.

IL NE MARCHE TOUJOURS PAS

⟩ Si votre enfant de 15 mois n'a pas encore fait ses premiers pas, ne vous inquiétez pas. Certains enfants ne marchent que quelques mois plus tard sans que leur développement ultérieur en soit affecté. Ils sont seulement programmés génétiquement pour que cette étape ait lieu plus tard.

⟩ L'important est que ses progrès en matière de mouvement se manifestent autrement : il essaie de ramper, agite les jambes quand il est couché dans son lit, fait des efforts pour se mettre debout et tend la main vers ses jouets.

⟩ Si ces signes positifs sont présents, vous pouvez être sûr qu'il ne tardera pas à marcher. Si vous vous faites du souci malgré tout, consultez votre pédiatre ou votre généraliste qui vous rassurera.

Stimuler sa motricité : de 13 à 15 mois

La majorité des enfants font leurs premiers pas avant l'âge de 15 mois (la moyenne étant de 13 mois). Et quel bonheur cela leur procure ! Ils ne sont plus limités à un endroit et peuvent se lancer dans de nouvelles aventures et d'interminables découvertes. L'enfant devient de plus en plus stable quand il marche vite et trottine partout sans la moindre crainte en faisant le fier.

Quelques suggestions

Ce que vous pouvez faire de mieux pour lui lorsqu'il commence à marcher, c'est de favoriser sa confiance en lui et d'assurer sa stabilité. En dépit de sa détermination à tenir sur ses jambes, il est peut-être un peu inquiet quand il est debout et se sent vulnérable. Le monde est différent vu de là-haut ! Il suffit d'une chute ou d'une petite bosse pour qu'il se décourage. C'est pourquoi il a énormément besoin de compliments et d'encouragements de votre

Quand votre enfant commence à marcher, il a souvent besoin de marquer un temps d'arrêt pour se stabiliser.

À 15 mois, l'équilibre de ce petit garçon est suffisamment bon pour lui permettre de se pencher et d'attraper un jouet.

part. Restez auprès de lui autant que possible, souriez-lui, parlez-lui et faites-lui un gros câlin quand il parvient à se débrouiller tout seul. Au début, il avancera probablement en tendant ses bras sur les côtés, et ses mouvements seront saccadés. Cela n'a pas d'importance ; il tâte le terrain prudemment en attendant que son système d'équilibre s'adapte aux nouvelles sensations qu'il éprouve. En l'espace d'un mois environ, vous vous apercevrez que ses bras sont plus près de son corps et ses pas plus souples, moins hésitants et nettement plus décontractés.

Maintenant qu'il gambade partout, il faut sérieusement penser à sa sécurité sans trop le restreindre pour autant. Quand vous l'emmenez avec vous faire des courses, il file dans les allées du supermarché.

Conseils malins

1. Rassurez-le s'il tombe. Son instabilité quand il marche le rend vulnérable et une chute peut le bouleverser. Rassurez-le, cajolez-le et remettez-le debout. Il oubliera vite sa détresse passagère.

2. Laissez-le grimper sur sa chaise et en descendre sans l'aider. C'est un défi compliqué qu'il peut surmonter s'il a du temps. Les contorsions requises pour cette activité sont un excel-

lent exercice pour son équilibre et ses mouvements.

3. Demandez-lui de ramasser les jouets qui sont par terre. S'il se promène, il sera disposé à le faire. Il s'arrêtera à côté, pliera lentement les genoux en levant les fesses et attrapera l'objet. Il sera de plus en plus à l'aise avec la pratique.

4. Jouez à la balle avec lui. Debout, il voudra sans doute donner un coup de pied dans la balle.

Il risque de taper à côté et de basculer en arrière ! Mais il appréciera ce nouveau jeu.

5. Laissez-le se débrouiller. Votre enfant est un explorateur dynamique et il n'a pas besoin de beaucoup d'encouragements pour aller et venir au gré de sa curiosité. Assurez-vous qu'il a tout le temps d'améliorer sa marche et son équilibre spontanément, sans que vous le dirigiez.

Est-il normal qu'un enfant qui marche se remette à ramper ou à avancer à quatre pattes entre deux séries de pas ?

Oui. Un enfant abandonne rarement son précédent mode de locomotion en commençant à marcher. Ramper est commode, rapide et moins fatigant. La marche est lente et fatigante au début. Ainsi, il se remet à quatre pattes pour parcourir des distances plus longues.

Faut-il que je lui mette des chaussures dans la maison ?

La principale fonction des chaussures est de protéger les pieds, non d'améliorer son équilibre. À ce stade, on devrait donc encore le laisser marcher pieds nus sur la moquette et les tapis afin que ses orteils et les muscles de ses pieds soient mis à contribution au maximum.

Jouets : jouet que l'on tire, petite voiture, petite et grande balles molles, table et chaise à sa taille, mini-piscine gonflable.

C'est une excellente occasion pour lui de s'entraîner, mais il se déplace rapidement et vous n'avez pas envie qu'il attrape les articles disposés sur les étalages avant que vous ayez le temps de l'arrêter, et encore moins qu'il disparaisse de votre vue.

Le moment est aussi venu pour lui de développer ses autres aptitudes au mouvement, en grimpant par exemple. En présence d'un escalier, il y a peu de chances qu'il monte les marches debout ; il gagnera presque certainement le premier étage sur les fesses ou à genoux. Cependant, sa force musculaire et une meilleure coordination lui permettront de progresser nettement plus vite qu'avant. Il faut donc le surveiller.

Certains enfants sont des grimpeurs intrépides ;
ils tenteront de s'échapper de leur lit à un âge très précoce.

COORDINATION
ŒIL-MAIN

L'importance de la coordination œil-main

Le monde est un endroit fascinant pour votre bébé. Il veut apprendre et découvrir une foule de choses. Entre sa naissance et l'âge de 15 mois, ses modes d'exploration se limitent essentiellement à la vue et au toucher.

Dès sa naissance, le bébé passe du temps à regarder autour de lui. Il se contente parfois d'enregistrer des informations. À d'autres moments, il tend les mains pour participer directement. Il associe souvent la vue et le toucher. Ce processus de coordination œil-main (qui comporte de nombreux aspects : concentration, observation, gestes des bras, toucher, attraper, soulever et jeter) occupe l'essentiel de son temps.

C'est la raison pour laquelle il tend constamment les mains vers les objets à sa portée. À vos yeux, cette petite boîte en carton n'a aucun intérêt et ne mérite d'autre sort que la poubelle, mais pour votre enfant, qui est curieux, c'est un trésor qui demande à être exploré. Il veut savoir comment faire pour soulever le couvercle avec ses doigts, afin de voir ce qu'il y a à l'intérieur. De la même façon, vous savez que les prises électriques lui sont formellement interdites, alors qu'il est ravi lorsqu'il en aperçoit une à sa portée...

Son aptitude à contrôler ses mains et ses doigts, à observer ses propres gestes, lui permet d'explorer, de découvrir et de se familiariser avec le monde autour de lui. Par exemple, grâce à sa coordination œil-main, il essaie de rapprocher son hochet de son visage pour pouvoir l'observer, le secouer et même le mettre dans sa bouche ! Une coordination précoce favorise les progrès de son apprentissage.

Les réflexes

Cependant, comme vous vous en êtes déjà aperçu, le bébé n'a pour ainsi dire aucun contrôle sur les mouvements de ses mains à la naissance et pendant les

Un bébé de 7 mois peut fixer son choix sur un objet, le saisir, le manipuler, souvent pour le porter à sa bouche.

semaines qui suivent. On dirait presque que ses mains sont autonomes : par exemple, à l'occasion de la tétée, vous verrez peut-être son petit poing surgir de nulle part et vous mettre un coup ! Rassurez-vous : ce geste n'a rien de délibéré.

En réalité, les premières aptitudes visuelles et tactiles de votre enfant sont dominées par un certain nombre de réflexes naturels. Il s'agit de réactions physiques incontrôlées qui se produisent automatiquement, sans qu'il y pense. C'est un comportement instinctif. De nombreux réflexes sont liés à la survie (celui de la succion, par exemple, qui l'incite à sucer dès qu'il a une tétine dans la bouche). D'autres sont en relation avec la coordination œil-main, notamment :

• **Clignement des yeux.** Quand un bébé entend un bruit soudain ou si l'on approche un objet trop rapidement de son visage, ses yeux se ferment automatiquement. C'est une forme très primitive d'autoprotection présente dès la naissance, et qui se prolonge toute la vie. À la fin de la première année, par exemple, il battra encore des paupières si un jouet lui échappe et tombe par terre avec fracas.

• **Préhension.** Lorsque votre nourrisson est couché sur le dos, les bras en l'air, glissez doucement votre index dans le creux de sa main de manière à ce qu'il puisse sentir la pression. Sa main se refermera automatiquement pour serrer votre doigt, et vous aurez l'impression qu'il ne veut plus le lâcher. Ce réflexe, présent à la naissance, disparaît vers l'âge de 3 ou 4 mois.

• **Réflexe de Moro.** Procédez avec douceur si vous voulez tester ce réflexe. Tenez votre enfant fermement sous les bras face à vous. Puis baissez-le rapidement de 15 cm (en continuant à le maintenir). Le réflexe de Moro (ou du sursaut) l'incitera à se cambrer et à agiter les bras et les jambes en tout sens comme s'il cherchait à s'agripper à quelque chose. Cette réaction spontanée disparaît vers l'âge de 4 mois.

Il agit sans comprendre

Quand votre bébé perd ces premiers réflexes primitifs, sa coordination œil-main devient plus structurée. Mais souvenez-vous qu'il ne comprend pas encore les implications de ses actions. C'est la raison pour laquelle il s'emparera par exemple de vos lunettes pour les tordre avec bonheur jusqu'à ce qu'elles se cassent. C'est la curiosité qui l'incite à le faire. Rien d'autre.

Tâchez de ne pas vous fâcher quand vous découvrez que votre bébé de 6 mois a froissé la lettre que vous avez reçue ce matin avant de la couvrir de salive en essayant de la mâchonner. Certes, il faut lui imposer des limites, sinon d'ici quelques mois votre maison sera sens dessus dessous, mais faites de votre mieux pour y parvenir sans perdre votre sang-froid lorsqu'il cherche à explorer ce qui l'entoure. Si vous vous mettez continuellement en colère contre lui, il risque d'avoir peur de se lancer dans de nouvelles découvertes.

Une fois que l'enfant peut se déplacer, mettez hors de sa portée tout ce qui est dangereux.

Il faut aussi faire preuve de prudence pour garantir sa sécurité. L'exploration est indispensable au développement de la coordination œil-main au cours de la première année. Pour votre enfant, de petites perles sont là pour être saisies, mâchonnées et avalées. Il ne peut deviner qu'elles présentent pour lui des risques de vomissement ou d'étouffement. Sa curiosité peut même l'amener à manger de la terre. Il agit ainsi poussé par un désir de découvrir toujours renouvelé... et la coordination de sa vue et de ses mains lui permet désormais d'inspecter son environnement. Surveillez-le donc attentivement, afin d'être sûr qu'il ne court aucun danger.

COORDINATION ŒIL-MAIN

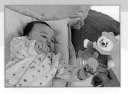

➥ De la naissance à 7 mois

Âge	Quelles sont ses capacités ?	Comment le stimuler ?
1 semaine	❯ Votre bébé naît avec de nombreux réflexes qu'il ne peut pas contrôler, notamment celui de la préhension.	❯ Tenez votre enfant fermement sur votre bras gauche et glissez votre index droit dans sa main. Il le serrera automatiquement. Tirez, et vous verrez qu'il ne veut pas lâcher prise.
1 mois	❯ Il commence à observer les objets proches de lui et ceux que l'on déplace lentement d'un côté et de l'autre.	❯ Rapprochez votre visage du sien et faites-lui un grand sourire. Pendant qu'il vous regarde, qu'il rie ou non, bougez légèrement la tête de quelques centimètres d'un côté, puis de l'autre. Il vous suivra attentivement des yeux.
2 mois	❯ Il contrôle mieux ses mains. Ses doigts sont plus souples et il les examine avec intérêt.	❯ Glissez-lui un petit objet dans la main. Au bout de quelques secondes, ses doigts se refermeront dessus et il essaiera de bouger la main comme pour rapprocher l'objet de son visage.
3 mois	❯ Il regarde un objet qui se déplace lentement à portée de sa vue, et s'il pense qu'il est assez près, il tendra la main dans sa direction.	❯ Suspendez un mobile au-dessus de son lit, juste au-delà de sa portée. Soufflez dessus pour faire bouger les éléments. Très vite, leur mouvement attirera son attention et il tendra la main pour les attraper.
4 mois	❯ Il comprend mieux ce qui se passe autour de lui, peut anticiper des événements quotidiens, et tend alors les mains comme pour les précipiter.	❯ Que vous le nourrissiez au sein ou au biberon, installez-le de manière à ce qu'il vous voie pendant les préparatifs de son repas. Vous vous apercevrez qu'il s'agite et tend les mains en direction de votre préparation bien avant qu'elle ne soit à sa portée.

De la naissance à 7 mois
(suite)

Âge	Quelles sont ses capacités ?	Comment le stimuler ?
5 mois	❯ La coordination œil-main s'est améliorée, au point qu'il commence à chercher un objet qui lui a échappé.	❯ Tendez-lui un petit jouet. Au moment où il est sur le point de le toucher, lâchez l'objet pour qu'il tombe sur le sol. Prenez un air perplexe, puis demandez-lui d'une voix claire : « Où est le jouet ? ». Il regardera peut-être par terre, dans sa direction.
6 mois	❯ Les mouvements de ses mains et de ses doigts sont mieux coordonnés et il commence à utiliser ses deux mains simultanément.	❯ Prenez deux petits cubes en bois. Donnez-en un à votre bébé et attendez qu'il le tienne fermement dans sa main. Glissez rapidement, mais en douceur, l'autre cube dans son autre main. Il pourra sans doute les tenir tous les deux en même temps un bref instant avant de lâcher prise.
7 mois	❯ Il joue et explore ses jouets de façon plus intéressante et constructive.	❯ Mettez à sa disposition une grande variété de jouets. Au lieu de les porter simplement à la bouche, il les secouera, et les tapera même les uns contre les autres pour faire du bruit. Si vous réagissez positivement à cette initiative, il continuera à jouer.

COORDINATION ŒIL-MAIN

➤ De 8 à 15 mois

Âge	Quelles sont ses capacités ?	Comment le stimuler ?
8 mois	❯ Votre enfant peut coordonner les mouvements de son pouce et de son index, et s'en servir pour saisir de petits objets.	❯ Asseyez votre enfant dans sa chaise haute et placez de petites portions d'aliments qu'il peut manger avec les doigts sur le plateau devant lui. Il les saisira en contrôlant les mouvements de son pouce et de son index pour les porter à sa bouche.
9 mois	❯ Il contrôle mieux les mouvements de ses mains et les coordonne beaucoup plus efficacement.	❯ Attachez l'extrémité d'une ficelle à un petit jouet. Après avoir attiré l'attention de votre enfant, montrez-lui que vous pouvez faire avancer le jouet en tirant sur la ficelle. Puis tendez-la lui et regardez-le vous imiter.
10 mois	❯ Il adore s'amuser avec des jouets qui se déplacent sur le sol, même s'il n'arrive pas encore à marcher tout seul.	❯ Asseyez-vous par terre et installez votre enfant en face de vous. Prenez une petite balle molle et faites-la rouler doucement vers lui. Il l'arrêtera de la main, la prendra et essayera peut-être même de vous la renvoyer.
11 mois	❯ Il est fasciné par les récipients : il a très envie de découvrir ce qu'il y a à l'intérieur	❯ Prenez une boîte en carton vide munie d'un couvercle et placez quelques petits jouets ou cubes en bois à l'intérieur. Montrez à votre enfant la boîte fermée, remuez-la devant lui, puis donnez-la lui. Sa curiosité l'incitera à soulever le couvercle pour voir ce qu'il y a à l'intérieur.

De 8 à 15 mois
(suite)

Âge	Quelles sont ses capacités ?	Comment le stimuler ?
1 an	⟩ La coordination œil-main et sa compréhension se sont améliorées : il peut désormais se servir correctement de ses jouets.	⟩ Quand votre enfant est installé par terre, donnez-lui un gobelet, une soucoupe et une cuiller en plastique. Il joue alors mais avec une réflexion, peut-être en mettant le gobelet sur la soucoupe ou la cuiller dans le gobelet.
13 mois	⟩ Il est capable de désigner un objet qu'il veut, et essaie peut-être même de le désigner par son nom en même temps.	⟩ Une fois que votre enfant a terminé son repas (mais pendant qu'il est encore assis dans sa chaise haute), mettez son jouet préféré sur une table près de son plateau. Assurez-vous que ce jouet attire son attention, mais qu'il est hors de sa portée. Il le désignera sans doute du doigt.
14 mois	⟩ Votre enfant commence à se servir de ses crayons et de ses pastels au lieu de les porter à sa bouche.	⟩ Glissez-lui un petit pastel rond dans la main et posez un bloc de papier épais et solide près de lui. Puis montrez-lui comment frotter le pastel sur le papier dans toutes les directions pour faire des marques. Vous verrez qu'il essayera de vous imiter.
15 mois	⟩ Son contrôle manuel s'est considérablement amélioré ; il arrive probablement à tenir simultanément un objet dans chaque main.	⟩ Asseyez confortablement votre enfant avec le dos bien droit. Prenez quelques petits jouets et mettez-les lui dans la main gauche, puis glissez-en immédiatement deux autres dans sa main droite. Il tiendra les quatre objets quelques secondes sans les lâcher.

Stimuler
la coordination œil-main :
de la naissance à 3 mois

Votre bébé a besoin de beaucoup de temps pour observer ce qui se passe autour de lui. Quand il est couché dans son lit, il bouge la tête de côté, fasciné par tout ce qu'il voit, et, bien que sa coordination soit encore très limitée, il rêve de tendre les mains et de toucher. Son besoin naturel de découvrir et d'apprendre l'incite à explorer sans relâche.

Quelques suggestions

Au cours des trois premiers mois, votre enfant dépend de vous pour avoir ses jouets près de lui. Sans votre aide, il s'ennuiera vite dans son lit ou sa poussette, car ses mouvements ne sont pas suffisamment coordonnés pour qu'il puisse attraper quoi que ce soit. N'hésitez pas à lui mettre un jouet dans les mains. Une fois qu'il le tient bien, bougez-lui doucement le bras. Plus vous lui montrez de gestes, en l'aidant à les réaliser, plus il y a de chances pour qu'il les répète tout seul.

Choisissez un moment où votre enfant est calme et en forme pour lui montrer des jouets aux couleurs et aux textures variées.

ATTIRER
SON ATTENTION

⌦ Pour stimuler l'intérêt de votre bébé, suspendez un mobile au-dessus de son lit. Placez-le hors de sa portée (sinon vous pouvez être sûr qu'il s'en saisira), mais suffisamment près pour qu'il le voie bien (juste au-delà des barreaux). Choisissez de préférence un mobile qui fait du bruit quand il bouge.

⌦ Arrangez-vous pour que votre bébé puisse vous observer tandis que vous vous affairez dans la maison.

⌦ Remplir et vider la machine à laver est une tâche ennuyeuse pour la plupart des gens, mais votre bébé sera ravi de vous regarder aller et venir. Si possible, installez-le de manière à ce qu'il vous voie facilement.

Q   Est-ce risqué de laisser quelques jouets dans son lit pour qu'il puisse jouer quand il en a envie?

R   Si vous êtes sûr que les jouets en question sont sans danger pour lui et ne nécessitent pas la surveillance d'un adulte, vous pouvez en laisser à sa portée.
En plus de les examiner, il essayera de les attraper.
Il est utile de lui laisser ce genre d'indépendance de bonne heure.

Q   Devrions-nous choisir des rideaux à motifs pour sa chambre ?

R   Oui. La chambre de votre bébé doit être agréable et des motifs gais sur les rideaux (des personnages de dessins animés aux couleurs vives sur un fond blanc ou clair par exemple) lui feront plaisir. Il passe beaucoup de temps à regarder son environnement immédiat, et les jolies formes et les couleurs stimuleront son intérêt.

Choisissez des jouets de couleurs vives qui font du bruit ; les bébés distinguent plus facilement les couleurs primaires (rouge, jaune, bleu) que les tons mélangés (violet, vert ou orange par exemple). Leur éclat et le bruit qu'ils produisent attirent leur attention et leur donnent envie de les découvrir.

N'oubliez pas les livres d'images ! Bien sûr, votre enfant est incapable de tourner les pages ou de dire le nom des objets représentés, mais il les regardera avec attention et essayera de les toucher, d'autant plus qu'il ne se rend pas compte de la différence entre une image et l'objet véritable.

Changez votre bébé de position quand il joue dans la mesure du possible. Curieusement, le même jouet aura un attrait différent pour lui selon qu'il est couché sur le dos ou maintenu debout. Par exemple, il sourira joyeusement si vous lui montrez un hochet quand vous le

Un petit bébé sera fasciné par un mobile de couleurs vives.

Les portiques d'activités offrent au bébé une foule de stimulations visuelles et il sera vraiment content quand il pourra faire bouger les éléments.

tenez dans vos bras, alors qu'il s'en désintéressait totalement quelques minutes plus tôt dans son lit. Les bébés adorent « se bagarrer » pour un jouet, tant qu'ils gagnent ! Balancez un anneau en plastique au-dessus de lui jusqu'à ce qu'il s'en empare. Puis tirez doucement dessus tout en lui souriant. Vous remarquerez que sa poigne se renforce. Amusez-vous à faire comme si vous vous disputiez l'objet. Soyez prudent tout de même : si par inadvertance, vous tirez tellement fort qu'il lâche l'anneau, il se mettra sûrement en colère et éclatera en sanglots.

Conseils malins

1. Achetez des jouets que des petites mains peuvent facilement attraper. Les jouets plus volumineux sont difficiles à saisir ; votre enfant s'en désintéressera. Il aime prendre les objets et les rapprocher de son visage pour les regarder de près.

2. Placez stratégiquement un jouet, de manière à ce qu'il soit obligé de faire un effort pour l'attraper. Mais si vous voyez qu'il se démène en vain, donnez-le lui. Sinon il abandonnera la partie.

3. Proposez-lui un assortiment varié de jouets. Si, pour vous, tous les hochets se ressemblent, à ses yeux, chacun est différent.

4. Montrez-lui des mouvements de mains si vous avez l'impression qu'il joue toujours de la même manière. Cela lui donnera des exemples de gestes nouveaux qu'il essayera peut-être d'imiter.

5. Si vous êtes sûr que ses jouets sont sans danger, laissez-le les porter à sa bouche pour qu'il puisse mieux les explorer. C'est une des dimensions de la coordination.

Stimuler la coordination œil-main : de 4 à 6 mois

Votre bébé change considérablement pendant cette période. Il réagit davantage à son environnement et à vous. Déterminé à découvrir le monde qui l'entoure, il devient un explorateur dynamique. Sa coordination œil-main est nettement plus contrôlée et réfléchie. Cette plus grande maîtrise l'aide à participer plus activement.

Quelques suggestions

Si vous laissez tomber un jouet, vous remarquerez qu'il le cherche des yeux avec attention ; s'il le repère, il fera tout ce qu'il peut pour

Les grands livres en tissu sont parfaits pour apprendre à votre enfant à tourner les pages.

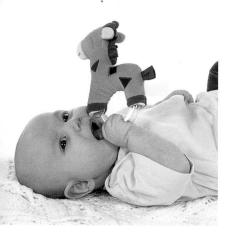

Au cours des premiers mois, tous les bébés utilisent leur bouche autant que leurs mains pour explorer les objets.

l'attraper. Encouragez-le à chercher des objets qui sont hors de sa portée, mais dans son champ visuel. Si vous lui demandez « Où est la voiture ? », il aura envie d'agir. Votre attention et votre intérêt lui font plaisir.

Profitez de toutes les occasions qui se présentent au quotidien. Quoi que vous fassiez pendant qu'il est auprès de vous, parlez-lui. Il a plaisir à vous regarder déambuler dans la pièce, et même si son attention est momentanément détournée, il se tournera rapidement vers vous dès que vous recommencez à lui parler.

Quand votre enfant est dans son bain, laissez-le taper l'eau du plat de la main. Il aura peut-être un peu peur au début : s'il s'éclabousse la figure, il clignera des yeux et éclatera peut-être en sanglots. Calmez-le, rassurez-le. Les bulles de savon ont une texture merveilleuse, mais assurez-vous qu'il ne se frotte pas les yeux.

Conseils malins

1. Réagissez avec enthousiasme à ses explorations. Il cherche à vous satisfaire à la moindre occasion. Faites-lui un grand sourire quand vous le voyez tendre la main, toucher et explorer, afin de l'encourager à poursuivre ses efforts.
2. Pensez toujours à sa sécurité. Outre la crainte que votre enfant se fasse mal, une blessure ou un malaise, parce qu'il aura touché ou avalé quelque chose,

refroidira pour quelque temps son enthousiasme à l'exploration.
3. Montrez-lui comment faire passer un objet d'une main à l'autre. Pour vous, c'est facile, mais pour un enfant, passer un petit jouet de la main droite à la gauche, ou inversement, est une aptitude difficile à acquérir. Il y parviendra peut-être si vous lui faites la démonstration.
4. Riez quand il fait du bruit avec

son hochet. Asseyez-vous près de lui quand il tape l'objet contre les barreaux de son lit ou par terre. S'il s'aperçoit que le bruit ne vous met pas en colère, il sera content de continuer à jouer ainsi.
5. Incitez-le à toucher les livres d'images. Quand il est blotti contre vous, quand vous lui commentez les images d'un livre, laissez-le s'emparer des pages cartonnées s'il veut y regarder de plus près.

Q Faut-il mettre les bibelots hors de la portée de mon bébé de 5 mois ou lui céder ?

R Mieux vaut éliminer les tentations. Que cela vous plaise ou non, vous serez sans doute obligé de modifier la disposition de votre maison à mesure que la coordination de votre enfant s'améliore. Mieux vaut ranger un bibelot plutôt que craindre en permanence qu'il s'en saisisse.

Q Quelles autres stratégies puis-je employer pour garantir sa sécurité ?

R Félicitez-le quand il respecte les règles. Rien ne l'incite plus à obéir à vos consignes, à propos de ce qu'il peut toucher et ne pas toucher, que votre approbation. Il sera ravi si vous le félicitez parce qu'il ne s'est pas approché d'un radiateur chaud, et sera très fier de lui si vous lui faites un câlin parce qu'il a contourné une prise électrique.

Jouets : trotte-bébé, tapis de jeux, livres d'images en plastique ou en tissu, cubes en plastique, jouets pour le bain, coussins, formes en bois, Youpala.

Tant que vous êtes détendu pendant que vous le baignez, il sera ravi de ce moment spécial de sa journée.

Son développement physique l'aide aussi à améliorer sa coordination. Vers le sixième mois par exemple, il peut rester assis s'il est soutenu par vous ou par des coussins disposés stratégiquement. Cela change sa vision du monde et rend sa vie nettement plus intéressante. À cet âge, l'enfant aime être assis, les jambes écartées, et prendre et lâcher tour à tour les jouets disposés autour de lui.

Si votre bébé essaie de saisir son biberon ou la cuiller quand vous lui donnez à manger, laissez-le faire (sans lâcher l'objet). La nourriture est un excellent moyen pour lui de développer la coordination de ses yeux et de ses mains ! Certes, il risque d'en mettre partout, mais cela fait aussi partie de son développement. De temps en temps, donnez-lui quelque chose que l'on peut manger avec les doigts. Cela l'aidera aussi.

À 6 mois, un bébé porte encore la plupart des objets à sa bouche. C'est le moment de lui donner des aliments qui se mangent avec les doigts.

Stimuler la coordination œil-main : de 7 à 9 mois

Maintenant que votre enfant est capable de rester assis tout seul et se débrouille pour ramper par terre, plus rien ne l'arrête ! Il est prêt à tout pour s'emparer d'un jouet, même s'il se trouve sous une chaise ou en haut d'une étagère. Il n'est pas conscient du danger. La seule chose qui compte pour lui, c'est la perspective séduisante d'atteindre l'objet désiré.

Quelques suggestions

Vous disposez à présent d'un large éventail d'activités pour stimuler sa coordination. Encouragez-le par exemple à s'exercer à saisir des objets entre le pouce et l'index. Maintenant qu'il contrôle mieux les mouvements de ses mains, il peut se servir de ces deux doigts comme d'une pince.

Certes, un petit objet peut facilement lui échapper, mais il fera vite des progrès avec un peu d'entraînement. Donnez-lui des morceaux de nourriture ou des petits cubes (mais surveillez-le au cas où il essayerait de les avaler).

Cette petite fille saisit des tranches de banane entre le pouce et l'index en un mouvement de pince.

IL ABANDONNE TROP VITE LA PARTIE !

⟩ Vous ne vous apercevrez peut-être pas que votre enfant renonce vite jusqu'au jour où il se tournera vers vous, en larmes, parce qu'il n'arrive pas à empiler des anneaux sur un axe ou à porter des aliments à sa bouche comme il le voudrait.

⟩ Si vous pensez qu'il se décourage trop facilement, encouragez-le gentiment à achever la tâche entreprise, sans le forcer. Et donnez-lui le bon exemple. Montrez-lui que vous vous démenez comme lui sans perdre votre sourire (versez de l'eau d'un gobelet dans un autre, par exemple). Cela l'incitera à adopter la même attitude.

Q Mon bébé a 8 mois et il se met en colère quand il n'arrive pas à finir un puzzle simple. Que dois-je faire ?

R Réagissez calmement. Quand il ne parvient pas à effectuer une activité impliquant la coordination œil-main et qu'il pique une colère, ne vous énervez pas à votre tour. Faites de votre mieux pour l'apaiser, puis suggérez-lui de réessayer. S'il ne réussit toujours pas, rangez le jeu en question. Vous le ressortirez plus tard.

Q Peut-on s'attendre à ce qu'un bébé joue tranquillement ? Le mien adore faire du bruit.

R Naturellement, vous ne voulez pas dissuader votre enfant de jouer, mais il est aussi bon de lui apprendre qu'il faut faire attention aux autres. Quand il fait vraiment beaucoup de bruit, demandez-lui gentiment d'y aller un peu plus doucement. Il réagira, au moins pendant quelques secondes.

Exercez ses mouvements liés à l'action-réaction. Votre enfant est davantage conscient de l'effet de ses actes sur ce qui l'entoure. Aidez-le à développer cette aptitude. Par exemple, asseyez-le par terre et disposez un mouchoir propre à plat près de lui de manière à ce qu'un des angles se trouve à quelques centimètres de sa main. Puis posez un petit jouet dans le coin opposé et demandez-lui de tirer le mouchoir vers lui. Il devra peut-être s'y prendre à plusieurs fois avant d'y arriver et d'attraper le jouet.

Vous pouvez aussi distraire votre enfant en lui donnant des « instruments de musique ». Dénichez de vieilles poêles et casseroles, quelques couvercles ; prenez aussi une ou deux cuillers en bois.

Empiler des anneaux est un excellent moyen pour un enfant d'améliorer sa coordination.

Confiez le tout à votre enfant de 8 mois. Il ne tardera pas à taper sur une casserole ou un couvercle avec une cuiller, et à frapper deux poêles l'une contre l'autre. À cet âge, votre bébé aime beaucoup remplir et vider des récipients. Placez-vous en face de lui et mettez par exemple un cube en bois dans un gobelet en plastique, puis retournez le gobelet pour que le cube tombe. Recommencez plusieurs fois l'opération, puis suggérez-lui de le faire lui-même. Tendez-lui le gobelet et le cube et encouragez-le à mettre le cube dans le gobelet. Il aura peut-être du mal au début. Continuez à l'encourager jusqu'à ce qu'il y arrive.

Les chansons qui s'accompagnent d'applaudissements sont parfaites pour aider votre enfant à acquérir une bonne coordination.

Conseils malins

1. Évitez les comparaisons. Tous les enfants sont différents. Vous vous apercevrez peut-être que le bébé de vos amis a une meilleure coordination que le vôtre alors qu'ils ont le même âge. Mais les comparaisons le découragent.

2. Désignez les objets. Quand vous êtes assis ensemble, désignez quelque chose dans la pièce et dites-lui de regarder l'objet en question. Il suivra votre geste des yeux. Ensuite demandez-lui de désigner un objet à son tour.

3. Jouez avec une voiture à friction. Procurez-vous une de ces petites voitures propulsées grâce à un ressort ou une pile. Emmenez votre enfant dans une pièce où il n'y a pas de tapis et faites rouler la voiture. Il ne la quittera pas des yeux.

4. Chatouillez la paume de ses mains. Certains jeux ou comptines qui requièrent des chatouillements des mains (par exemple : « La petite bête qui monte ») l'obligent à maintenir sa main dans une position, puis à la retirer précipitamment.

5. Laissez-lui des jouets dans son lit. Votre bébé se réveille certainement plus tôt que vous ne le souhaiteriez le matin. Laissez quelques jouets à sa portée pour qu'il puisse s'amuser tout seul.

Stimuler la coordination œil-main : de 10 mois à 1 an

À l'approche de son premier anniversaire, votre enfant est beaucoup plus sûr de lui. Il a progressé dans tous les domaines, y compris la coordination œil-main. Il est donc plus indépendant et déterminé. Il aime s'amuser tout seul et n'est pas très content quand vous lui dites ce qu'il peut faire et ne pas faire. D'un autre côté, il continue à avoir grand besoin de votre amour et de votre approbation, et n'aime pas que vous vous fâchiez contre lui.

Quelques suggestions

Les boîtes à couvercle le fascinent. Inutile de choisir des modèles coûteux pour attirer sa curiosité. Il suffit de prendre une petite boîte en carton qui ferme relativement bien, d'y placer un objet, puis de la refermer. Apportez-la à votre enfant et secouez-la pour que l'objet à l'intérieur fasse du bruit en remuant. Au bout de quelques secondes, tendez-lui la boîte sans dire un mot. Il essayera aussitôt d'ouvrir le couvercle pour voir ce qu'il y a dedans. Quand il aura réussi à le faire, il sera content de passer quelques minutes à essayer de

Quand un enfant est capable de mettre un couvercle sur une boîte, cette nouvelle aptitude l'occupe un temps, lui procurant une grande satisfaction.

remettre les rabats en place. Grâce à une meilleure coordination œil-main, votre bébé peut désormais entreprendre des tâches plus complexes, ranger des formes par ordre de taille par exemple.

Il aura plaisir à emboîter des boîtes ou des cubes creux de plus en plus petits les uns dans les autres. Ce sera un véritable défi pour lui, mais il y parviendra finalement et sera heureux de vous montrer qu'au moins deux ou trois boîtes rentrent les unes dans les autres.

Il adore s'attarder dans son bain en fin de journée, entouré de récipients pour jouer avec l'eau. S'il est suffisamment sûr de lui pour rester assis (avec vous à proximité), donnez-lui des gobelets ou des tasses en plastique, et suggérez-lui de faire passer de l'eau de l'un à l'autre.

À cet âge, votre enfant aura davantage de patience et d'adresse pour construire une petite tour avec des cubes ou des gobelets

Conseils malins

1. Jouez beaucoup avec les mains. Il aime les comptines et les chansons incluant des gestes comme « Ainsi font font font… », ou les jeux du même type. Cela l'amuse beaucoup et favorise sa coordination œil-main.

2. Faites-le participer à ses repas. Quand vous disposez d'un peu plus de temps que d'habitude, confiez-lui la cuiller. Il fera un gros effort pour la porter à sa bouche, même si l'essentiel de son contenu se retrouve sur le plateau.

3. Faites-lui découvrir des textures différentes. Si ce n'est pas un problème pour vous de nettoyer après, donnez-lui des bols contenant des liquides différents, de l'eau, du yaourt, ou encore de la farine, des céréales. Laissez-le y plonger les mains pour sentir les différentes textures.

4. Proposez-lui des solutions. Si vous voyez qu'il est bloqué au milieu d'un jeu de coordination (par exemple, s'il faut insérer des formes), suggérez-lui d'autres moyens de s'y prendre et restez auprès de lui le temps qu'il essaie.

5. Continuez à l'encourager. Malgré son indépendance récente, il s'amuse mieux avec vous que seul. Laissez-lui du temps pour explorer par lui-même, mais n'oubliez pas qu'il a toujours besoin de vous.

Q & R

Q Maintenant que mon enfant tient bien assis, puis-je le laisser jouer seul sans risque dans un bain peu profond pendant que je prépare le repas de son frère aîné ?

R Non. Il n'est jamais sans danger de laisser un enfant de cet âge seul dans son bain. Il peut glisser en une fraction de seconde et être submergé, même dans quelques centimètres d'eau. Son aîné attendra qu'il soit sorti du bain.

Q J'ai beau montrer à mon enfant comment encastrer des formes les unes dans les autres, il n'y parvient pas. Devrait-il y arriver ?

R Ces jeux-là sont incroyablement difficiles pour ses petits doigts. Votre enfant réussit sans doute à insérer le rond et le carré, mais pas les formes plus compliquées. Laissez-lui le temps de trouver les solutions. Quand il contrôlera mieux ses mains, dans quelques mois, il s'en sortira sans peine.

Jouets : Cubes ou gobelets s'emboîtant, cubes à empiler, formes à encastrer, gros pastels et papier, boîte à musique, Youpala.

Vous devrez sans doute éponger le sol ensuite, mais ce jeu l'aide à améliorer son contrôle manuel. Il peut se servir de sa main droite ou de la gauche, indifféremment. Encouragez-le à verser lentement et à prendre son temps.

Votre enfant comprend de mieux en mieux ce que vous lui dites. Vous pouvez désormais lui donner des consignes simples pour l'inciter à améliorer sa coordination. Par exemple, dites-lui gentiment : « Donne-moi ce gobelet ». Il devrait pouvoir regarder autour de lui pour le localiser, le prendre et vous le tendre. Vous verrez qu'il se concentre très fort pendant cette activité parce qu'il a besoin de toute son attention pour y arriver.

Vers 10-12 mois, votre enfant sera peut-être prêt à gribouiller avec de la craie et des pastels, sous surveillance.

Stimuler la coordination œil-main : de 13 à 15 mois

Le désir d'indépendance de votre enfant s'est considérablement accru. Grâce à une meilleure coordination œil-main, il contrôle beaucoup mieux son environnement. Il peut manipuler les objets comme il veut et s'amuser avec un plus grand assortiment de jouets, qui lui offrent davantage de défis. vous vous apercevrez peut-être qu'il s'énerve plus facilement en cas d'échec, par exemple quand des cubes ne veulent pas s'emboîter comme il le souhaiterait.

Quelques suggestions

Votre enfant est particulièrement fasciné par les puzzles simples qui font appel à ses aptitudes accrues en

Les formes à encastrer sont idéales pour les enfants de cet âge, bien que les plus complexes représentent encore un sérieux défi pour eux.

matière d'apprentissage et de coordination œil-main. Donnez-lui par exemple une petite planche en bois comportant un trou rond dans lequel il faut insérer la pièce manquante. Il apprécie ce genre d'activités, mais souvenez-vous qu'elles sont très difficiles pour lui. Des formes élémentaires, cercles et carrés, sont idéales.

IL PORTE ENCORE LES JOUETS À SA BOUCHE

À cet âge, la plupart des enfants jouent avec leurs jouets au lieu de les porter à leur bouche. Si le vôtre n'a pas perdu cette habitude, tâchez d'éviter un conflit à ce sujet car, à 1 an passé, il est sûrement déterminé à avoir gain de cause !

Pour éviter d'attirer son attention sur cette habitude — ce qui risquerait de la faire durer encore plus longtemps, débrouillez-vous pour le distraire grâce à une autre activité quand vous le voyez sur le point de mâchonner un jouet. Ainsi, pendant qu'il se concentre sur autre chose, prenez-lui doucement l'objet des mains. Il se débarrassera vite de cette manie de toute façon, même si vous n'intervenez pas.

Q Mon enfant a peur de jouer avec de nouveaux jouets. Que puis-je faire ?

R Soyez patient avec lui. Si vous savez qu'il préfère ses jouets familiers, placez le nouveau près des autres sans rien dire. Laissez-le l'explorer à son rythme. Au bout de quelques jours, asseyez-vous près de lui et tendez-lui le jouet en question sans faire de commentaire. Votre intérêt l'incitera sans doute à jouer avec aussi.

Q Vaut-il mieux donner à un enfant de cet âge une grande balle ou une petite balle ?

R Il pourra tenir une petite balle dans ses mains, mais aura de la peine à la lancer. En revanche, un gros ballon pourrait bloquer sa vision quand il le tient avant de l'expédier. Choisissez un modèle de taille intermédiaire qu'il peut tenir fermement dans ses mains tout en voyant facilement par-dessus.

Votre enfant passera peut-être beaucoup de temps assis en silence, l'air concentré, à essayer de réussir cet exploit. Si vous vous apercevez qu'il parvient presque à faire entrer la forme, mais pas tout à fait, poussez délicatement sur l'élément pour qu'il tombe dans le trou. Il est important de ne pas le décourager à ce stade.

Achetez des puzzles à encastrer qui ne comportent qu'un ou deux éléments. Il ne peut pas s'en sortir avec des formes plus complexes et finira par être rebuté. En règle générale, les enfants de cet âge sont aussi fascinés par les tours à construire, le plus souvent à base de cubes. Jusqu'à présent, toute tentative pour empiler un cube sur un autre s'est probablement soldée par un échec, puisque le manque de coordination a dû empêcher votre enfant de les poser convenablement en équilibre. Il a besoin d'encouragements. Entraînez-le régulièrement à ce jeu et montrez-lui comment vous vous y prenez pour bâtir une tour en guise d'exemple.

Après l'âge de 1 an, les enfants s'absorbent dans les jouets qui se construisent et se démontent.

Beaucoup d'enfants de cet âge aiment prendre part aux séances d'habillage et de déshabillage. Quand vous vous approchez avec un pull, par exemple, il se peut que votre petit garçon tende les bras. C'est merveilleux car cela prouve que sa compréhension, sa vision et son toucher ont progressé au point qu'il peut prévoir vos gestes et essayer de vous aider. Un jour, vous vous apercevrez qu'il a enlevé ses chaussettes tout seul pour les expédier à l'autre bout de la pièce !

Encouragez votre enfant à faire des choses tout seul. Il sera content de prendre part à son habillage et déshabillage.

Conseils malins

1. Donnez-lui tout le temps d'accomplir une tâche nécessitant un contrôle manuel. Par exemple, votre enfant est incapable d'enfiler rapidement un pull. Si vous voulez qu'il y arrive, choisissez un moment où vous n'êtes pas pressé.

2. Apaisez-le s'il se sent frustré. Il cherchera très probablement à relever des défis trop difficiles pour lui et aura besoin que vous le calmiez, le rassuriez et lui indiquiez les activités à sa portée.

3. Ne l'obligez pas à utiliser telle ou telle main. À ce stade, vous vous êtes peut-être déjà aperçu de sa préférence pour une main plutôt qu'une autre. Laissez cet aspect de son contrôle manuel se développer naturellement. Vous ne devriez pas forcer un gaucher à se servir de sa main droite.

4. Jouez à la balle avec lui. Placez-vous à 3 ou 4 m de lui et faites doucement rouler une balle dans sa direction. Votre enfant adorera ce jeu, qu'il renvoie la balle ou qu'il essaie de l'arrêter et de l'attraper.

5. Donnez-lui un téléphone en plastique. Il vous a vu assez souvent porter le combiné à votre oreille et a envie de faire pareil. Il s'amusera beaucoup avec un petit téléphone en plastique ou en bois.

LE LANGAGE

Les progrès du langage

L'évolution du langage est si rapide au cours des quinze premiers mois que vous aurez du mal à repérer les changements clés qui se produisent. Le bébé dont le mode de communication est exclusivement non verbal, parce qu'il est incapable d'émettre des sons précis, est métamorphosé un an plus tard. Il aura peut-être même déjà prononcé son premier mot.

Le plus étonnant est que votre enfant assimile le langage de manière systématique. Si vous avez tenté d'apprendre une langue étrangère, vous savez l'effet que cela fait d'être confronté à des milliers de sons et des millions de mots nouveaux. C'est la même chose pour un bébé. En fait, la tâche est encore plus ardue pour lui, parce qu'il n'a aucune expérience en la matière. Malgré la multitude de sons présents dans son environnement, il parvient à développer ses aptitudes linguistiques sans aide particulière.

La première phase du développement du langage est le gazouillement.

C'est l'une des raisons pour lesquelles la plupart des psychologues affirment qu'un bébé a une aptitude naturelle au langage, qu'il vient au monde déjà prêt à distinguer certaines combinaisons de sons parmi la vaste gamme de bruits qui l'entourent. Aucune autre explication ne peut sans doute rendre compte de la spontanéité avec laquelle un enfant apprend à parler au milieu d'un pareil chaos linguistique. Souvenez-vous que d'autres facteurs jouent un rôle important dans le développement de la parole. Par exemple, la langue que votre enfant entend a un effet direct, ce qui explique qu'un petit Français apprend le français et qu'un

Britannique saura l'anglais et non l'allemand. En outre, de nombreuses études psychologiques ont prouvé que le rythme du développement du langage chez l'enfant et la richesse de son vocabulaire sont influencés par l'ampleur des stimulations dont il fait l'objet de votre part et du reste de la famille.

Un schéma pré-établi

Autre fait surprenant : tous les bébés apprennent à parler selon un schéma similaire, en utilisant les mêmes « blocs de construction », dans le même ordre et, généralement, à peu près à la même période. Cela renforce l'idée de la nature innée du langage. En dehors des nouvelles aptitudes spécifiques que votre enfant acquiert chaque mois au cours de cette première phase de sa vie, vous assisterez aussi à ses progrès dans le domaine linguistique. Les phases se succéderont de la manière suivante :

• **Communication non verbale.** Pendant les six premiers mois, votre bébé est incapable d'émettre des sons identifiables. Son seul moyen de communication consiste à pleurer ou à s'exprimer par des gestes en remuant les bras et les jambes par exemple, par des expressions ou des regards.

• **Gazouillement.** Il s'agit d'une voyelle répétitive, dénuée de sens, que votre bébé émet généralement quand il est paisible et satisfait. Cette phase, qui débute vers l'âge de 2 mois et disparaît quelques mois plus tard, diffère d'un enfant à l'autre.

• **Babillage (au hasard).** Dès 5 mois, votre bébé est capable de prononcer une plus grande variété de sons car sa voix et sa respiration se sont améliorées.

Ces deux bébés communiquent manifestement,
bien qu'ils ne puissent pas encore parler.

Le babillage est la suite de sons caractéristiques qu'il émet quand vous lui accordez votre attention.

• **Babillage (contrôlé).** Au cours des mois qui suivent, il babille de façon plus précise, presque comme s'il prenait part à une conversation. Il a tendance à utiliser régulièrement le même enchaînement de sons (comme « papapa »).

• **Début de la parole.** Vers la fin de la première année, votre enfant donne presque l'impression de parler. Il vous regarde, prend un air sérieux et module sa voix, mais il n'a pas encore recours à des mots reconnaissables.

• **Premier mot.** Vers le douzième mois, il prononce son premier mot. Votre cœur fait un bond ! Son vocabulaire augmentera de dix mots par mois environ durant les mois suivants, pour atteindre une cinquantaine vers l'âge de 18 mois.

Aucun lien n'a pu être établi entre le langage précoce et l'intelligence. S'il parle de bonne heure, cependant, votre enfant pourra plus rapidement communiquer avec les autres et apprendre grâce à eux.

La parole et l'écoute

Souvenez-vous que votre enfant utilise le langage dans les deux sens. Il commence par écouter les sons qu'il perçoit et les interprète à sa manière. Cette aptitude à analyser le langage, connue sous le nom de langage réceptif, lui permet de comprendre peu à peu ce qu'il entend. Il a aussi la capacité de s'exprimer ; il produit des sons de manière à communiquer verbalement avec vous. Quand vous stimulez son aptitude à la communication, concentrez votre attention sur ces deux aspects du langage.

Il y a de fortes chances pour que le langage réceptif de votre enfant progresse plus rapidement que son aptitude à s'exprimer. En d'autres termes, il comprendra beaucoup plus de mots qu'il ne pourra en dire. Par exemple, vous vous apercevrez qu'il sourit quand il entend son nom, bien qu'il ne puisse pas encore le prononcer. Cette différence existe probablement parce qu'un enfant entend des mots bien avant d'être suffisamment développé pour parler (quand vous vous entretenez avec quelqu'un d'autre par exemple) et qu'on l'encourage à réagir à la parole alors qu'il n'est pas encore capable de s'exprimer verbalement (par exemple quand vous lui demandez s'il se sent bien après son bain, lorsqu'il est habillé de frais).

De la naissance à 7 mois

Âge	Quelles sont ses capacités ?	Comment le stimuler ?
1 semaine	› Il prête attention aux sons du langage, bien qu'il soit incapable d'en produire lui-même, et s'efforce de regarder la personne qui lui parle.	› Prenez votre nouveau-né dans vos bras et attendez qu'il soit bien. Puis parlez-lui calmement de ce qui vous vient à l'esprit. Observez-le attentivement tandis qu'il tente de bouger en réaction à votre voix, pour mieux entendre les sons.
1 mois	› Ses pleurs varient davantage selon les situations, son humeur et s'il se sent à l'aise ou non.	› Écoutez très attentivement les pleurs de votre enfant, et vous prendrez peu à peu conscience d'une différence entre ceux de la faim ou de l'ennui par exemple. Lorsque vous réagissez à ces appels, dites-lui ce que vous pensez avoir compris.
2 mois	› Pour la première fois, votre enfant commence à employer quelques sons distincts même s'ils n'ont aucun sens et reflètent simplement sa décontraction à ce moment-là.	› Mettez votre enfant dans son lit et donnez-lui quelques jouets. Une fois qu'il est occupé, parlez-lui doucement. Vous vous apercevrez probablement qu'au bout d'un moment il émet lui-même des sons, tels que « bou » ou « gou », de manière répétitive.
3 mois	› Ses aptitudes à l'écoute se sont améliorées et il est nettement plus attentif aux différents sons qu'il entend.	› Couchez-le dans son lit et laissez-le s'amuser tranquillement avec ses jouets. Placez-vous hors de sa vue. Pendant qu'il est occupé, faites un petit bruit (en tapant deux briques en bois l'une contre l'autre ou en faisant retentir une petite cloche). Il s'arrêtera de jouer et tendra l'oreille.

LANGAGE

Âge	Quelles sont ses capacités ?	Comment le stimuler ?
4 mois	❯ Son répertoire de communication s'est accru : il est capable de rire franchement quand quelque chose l'amuse.	❯ Asseyez-le sur vos genoux, dos contre vous, et tenez-lui les mains autour du manche d'un miroir pour enfants. Orientez la glace pour qu'il puisse se voir, puis lentement, montrez-lui le reflet de votre propre visage souriant. Il poussera des cris de joie.
5 mois	❯ Ses cordes vocales, les muscles de sa gorge et sa respiration se sont développés au point qu'il peut émettre des sons de plus en plus variés.	❯ Si vous êtes attentif aux sons qu'il émet, vous vous apercevrez qu'il produit au moins trois ou quatre sortes de babillages. Ils se succèdent de manière désordonnée, mais associent généralement une voyelle et une consonne qu'il répète (par exemple, « nanana »).
6 mois	❯ Ses babillages ne se produisent plus au hasard selon son humeur ; ils sont liés à vous et aux autres personnes qu'il connaît bien.	❯ Parlez normalement à votre enfant, mais prenez soin de marquer des temps d'arrêt comme si vous vous entreteniez avec un adulte. Il commence à synchroniser ses paroles avec les vôtres un peu comme si vous parliez chacun à votre tour dans une conversation.
7 mois	❯ Il comprend mieux la signification du langage et réagit davantage à ce que vous lui dites.	❯ Quand vous participez à une activité quotidienne avec votre enfant, l'heure du bain ou du repas par exemple, faites un commentaire qui demande une réponse (par exemple : « Regarde ça »). Sa réaction confirmera qu'il a compris votre remarque.

➤ De 8 à 15 mois

Âge	Quelles sont ses capacités ?	Comment le stimuler ?
8 mois	➤ Votre bébé a plaisir à jouer à des jeux de parole avec vous, surtout s'il s'agit d'imiter les sons que vous produisez.	➤ Asseyez votre enfant par terre et mettez-vous en face de lui. Prenez ses mains dans les vôtres en les balançant doucement d'avant en arrière. Produisez des babillages vous-même, par exemple « baba baba ». Votre enfant vous regardera et vous imitera.
9 mois	➤ Son ouïe est beaucoup plus précise et il parcourra la pièce des yeux pour localiser la source exacte d'un bruit qui a attiré son attention.	➤ Installez votre enfant par terre ou dans sa chaise haute et donnez-lui des jouets pour s'occuper. Une fois qu'il est absorbé par ce qu'il fait, portez une montre à son oreille sans qu'il vous voie le faire. Il se tournera aussitôt dans cette direction pour regarder l'objet.
10 mois	➤ Ses babillages sont de plus en plus complexes, au point qu'il arrive à prononcer plusieurs syllabes en une seule fois.	➤ Bavardez avec votre enfant aussi souvent que possible et prêtez attention aux sons qu'il émet. Vous remarquerez qu'il enchaîne maintenant les syllabes, par exemple « ah-le » ou « bou-gah ». Ces combinaisons de sons se font au hasard.
11 mois	➤ Il est capable de vous écouter très attentivement et de suivre une consigne que vous lui avez donnée, dès lors qu'elle est dans ses capacités.	➤ Asseyez-le dans un fauteuil confortable et approchez-vous de la porte, comme si vous vous apprêtiez à quitter la pièce. Tournez-vous, agitez la main et dites-lui « au revoir ». Puis demandez-lui de vous dire au revoir aussi. Il comprendra ce que vous voulez et agitera la main en retour.

LANGAGE

Âge	Quelles sont ses capacités ?	Comment le stimuler ?
1 an	❯ Certains enfants ont déjà prononcé leur premier mot avant l'âge de 1 an, mais la plupart d'entre eux accomplissent cet exploit à peu près à cette période.	❯ Désignez-lui une personne qu'il connaît bien (votre conjoint ou vous), ou encore le chien, et demandez-lui : « Qui est-ce ? ». Il y a des chances qu'il soit disposé à dire quelque chose qui ressemble au mot que vous auriez employé. Son premier mot !
13 mois	❯ S'il n'est pas encore capable de prononcer son nom, il n'a pas de mal à le reconnaître quand quelqu'un d'autre le dit.	❯ Pendant que votre enfant est près de vous, parlez avec un autre adulte. Une fois que vous êtes sûr qu'il s'est absorbé dans une activité, prononcez son nom au cours de la conversation. Même si vous le dites à voix basse, il se tournera vers vous.
14 mois	❯ Votre enfant profite de son vocabulaire plus étendu pour participer activement aux jeux qui utilisent la parole, ainsi qu'aux chansons.	❯ Chantez-lui son air favori, mais omettez le dernier mot. Il fera un courageux effort pour le dire. Assurez-vous que vous lui donnez tout le temps de le prononcer avant d'entamer le couplet suivant.
15 mois	❯ Il peut dire davantage de mots (au moins cinq ou six), et en comprend un bien plus grand nombre.	❯ Faites le total du nombre de mots qu'il prononce ; il sera probablement supérieur à ce que vous pensiez. Donnez-lui davantage de directives qu'il devrait pouvoir suivre sans votre aide, par exemple : « Prends ce biscuit » ou « Lâche ce jouet ».

**COMMENT PARLER
À VOTRE ENFANT**

🔌 Vous vous apercevrez qu'instinctivement, vous parlez à votre enfant en utilisant des phrases courtes et séparées avec des intonations exagérées, que vous n'employez jamais quand vous vous adressez à un adulte. Les psychologues se sont aperçus qu'en ayant recours à ce type de langage, avec modération, on peut encourager l'aptitude au langage des bébés.

🔌 Pourtant, il est important de ne pas « parler bébé » en présence de votre enfant, car cela n'offre pas un bon modèle sur lequel baser ses fonctions linguistiques. Il n'aura aucune envie d'assimiler des rudiments de grammaire et d'étendre son vocabulaire s'il n'entend que des propos simplifiés.

Stimuler le langage :
de la naissance à 3 mois

À la naissance, votre bébé est incapable de parler. Il ne peut même pas prononcer un son de voyelle ou de consonne. Toutefois, il communique avec vous grâce à ses pleurs, ses expressions et ses mouvements. Si ce système n'est pas verbal, il peut exprimer ses besoins fondamentaux. En stimulant son aptitude au langage durant cette toute première période de sa vie, vous entamez le long et magique processus du développement du langage.

Quelques suggestions

Le meilleur moyen d'encourager votre enfant à développer ses aptitudes linguistiques consiste à lui parler aussi souvent que possible, même s'il ne comprend pas le sens précis de vos paroles. En bavardant avec lui pendant la tétée, quand vous le changez, quand vous jouez avec lui ou lorsque vous conduisez, vous lui fournissez un vaste assortiment de sons qu'il écoutera et finira par s'approprier.

Dès l'âge de 1 mois, l'attention du bébé se fixe sur le visage de sa mère quand elle lui parle.

Vers 2 mois, ce bébé réagit aux sons et commence à gazouiller.

Parlez à votre bébé avec animation pendant ces trois premiers mois. Regardez-le dans les yeux aussi souvent que possible pour qu'il voie le sourire qui accompagne vos propos et votre expression plus calme quand vous le bercez avant qu'il ne s'endorme. Il observe vos gestes et votre langage corporel de très près, et établit un lien entre les mots que vous employez, l'humeur dans laquelle vous êtes et votre apparence. C'est la base de son développement linguistique.

● Conseils malins

1. **Interprétez ses pleurs**. Si vous voyez qu'il pleure parce qu'il a besoin d'une couche propre, dites-lui : « Tu pleurais parce que tu veux que je te change et maintenant tu es content car c'est fait ».

2. **Prenez-le dans vos bras pour lui parler de temps en temps**. Faites en sorte qu'il soit proche de vous pour se concentrer sur vos yeux, votre visage et votre bouche.

3. **Montrez-lui votre satisfaction s'il fait des vocalises**. Une fois qu'il commence à gazouiller (vers la 8ᵉ semaine), souriez-lui et répondez-lui comme s'il s'agissait d'une conversation. Cela l'incitera à continuer.

4. **Servez-vous du jeu pour l'encourager à parler**. Votre bébé émettra sûrement des sons qui expriment ses sentiments quand il est absorbé par ses jeux. Son humeur détendue et joyeuse lui donne envie de gazouiller.

5. **Jouez à des jeux d'écoute avec votre enfant**. Quand il est couché dans son lit, attirez son attention en lui chuchotant quelque chose ou en disant son nom. De bonnes aptitudes à écouter sont un des éléments essentiels de la communication.

Q&R

Q Comment puis-je apprendre à interpréter les pleurs de mon bébé ?

R Donnez-vous le temps d'apprendre à le connaître. À force de vous occuper de lui, vous pourrez associer un cri à un besoin. Quand ses sanglots s'accentuent progressivement, c'est qu'il a faim, alors que des pleurs plus perçants et plus pressants indiquent qu'il ne se sent pas bien.

Q Est-ce une erreur de laisser mon bébé de 2 mois écouter la télévision ?

R Les bruits provenant d'un téléviseur peuvent contribuer à encourager votre enfant à parler. Toutefois, ces bienfaits sont limités dans la mesure où ce qu'il entend ne s'accompagne pas de modes de communication non verbaux. À cet âge, de longues périodes passées à écouter la télévision ne contribuent pas réellement au développement du langage.

Jouets : boîte à musique, hochets, jouets qui font du bruit, livre d'images pour bébé.

Peu importe s'il ne saisit pas le sens de la conversation que vous avez avec lui, surtout si vous lui parlez de choses qui ne sont pas directement liées à son monde à lui. N'ayez pas peur du ridicule si vous parlez à votre enfant alors qu'il n'a que quelques mois ! Chaque fois qu'il vous voit et vous entend utiliser des mots, il assimile tous ces exemples de langage et se prépare pour le moment où il prendra lui-même part aux conversations.

Les chansons sont importantes, car elles montrent un autre usage de la parole. L'enfant comprend que les mots accompagnés d'un air créent une ambiance détendue, gaie ou sereine. Même si vous chantez affreusement faux, faites-le quand même. Votre voix est le son le plus mélodieux au monde pour lui. Sa familiarité et le fait qu'elle soit associée à l'amour et à l'affection que vous portez à votre bébé comptent beaucoup pour lui. Chantez-lui de douces berceuses pour l'aider à s'endormir et des airs plus rythmés pour éveiller son attention.

En chantant pour votre enfant pendant que vous le bercez, vous stimulez sa réaction au langage.

Stimuler le langage :
de 4 à 6 mois

Votre enfant passe du gazouillement aux premiers babillages et soudain, vous vous rendez compte qu'il parlera bientôt. Son besoin d'émettre des sons se manifeste presque toute la journée, qu'il soit avec vous ou qu'il joue seul. Il est ravi de pouvoir produire des sons de plus en plus nombreux.

Quelques suggestions

Au cours de ces trois mois, votre enfant participe plus activement aux conversations et vous donnera l'impression qu'il veut vraiment prendre part à la discussion, même s'il babille encore au hasard.

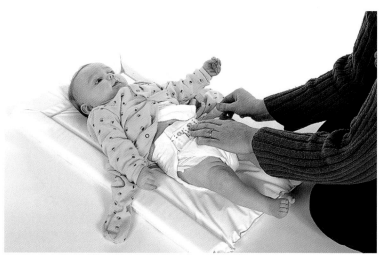

Parlez à votre enfant durant les activités quotidiennes.
Une conversation animée est un bon moyen de le distraire s'il s'ennuie.

DEMANDEZ CONFIRMATION !

⮞ Si vous pensez que votre bébé pleure parce qu'il a faim par exemple, vous lui donnez aussitôt à manger. C'est très bien. Mais vous contribuerez à développer ses aptitudes au langage en l'interrogeant avant d'interpréter son message et d'intervenir.

⮞ Demandez-lui par exemple : « Pleures-tu parce que tu veux manger ? » ou « Es-tu triste parce que ton jouet est tombé de ton lit ? ». Il ne peut pas vous répondre, mais commence à mieux comprendre ce qu'on lui dit. En lui demandant ainsi confirmation, vous l'incitez à s'intéresser au langage.

Q & R

Q Se peut-il que mon bébé de 5 mois reconnaisse son nom quand je l'appelle ?

R Il est peu probable qu'il connaisse vraiment le son correspondant à son nom. Il se tourne sans doute vers vous quand vous le prononcez parce que le bruit l'a attiré. Essayez de dire un autre nom la prochaine fois. Il y a des chances qu'il se tourne vers vous de la même façon.

Q Mon enfant de 6 mois peut-il distinguer ma voix de celle des autres ?

R Il est très probablement capable de l'identifier parmi toutes les autres voix qu'il entend. Il a passé tellement de temps avec vous, et vous est tellement attaché que votre voix a un sens particulier pour lui, tout comme votre visage quand vous lui souriez.

Jouets : livres en plastique, cassettes pour enfants (avec chansons et histoires), jouets qui font du bruit, tapis d'activités avec des formes et des animaux.

C'est la raison pour laquelle vous devez marquer des temps d'arrêt quand vous lui parlez, comme vous le faites lorsque vous vous entretenez avec un adulte. Vous serez peut-être étonné de l'entendre babiller pendant ces courtes pauses.

Il en va de même quand vous lui posez des questions tout en sachant qu'il est incapable d'y répondre de manière cohérente. Vous lui demanderez peut-être : « Te sens-tu mieux maintenant que tu as mangé ? » ou encore « Veux-tu que je t'emmène au parc ? ». Ne vous attendez pas à une réponse, évidemment, mais marquez tout de même un temps d'arrêt et regardez-le comme si c'était le cas. Il se mettra peut-être à babiller à cet instant. Et même s'il se contente de vous regarder en silence, vos paroles et vos actes l'aident à mieux comprendre ce qu'est un dialogue.

Même quand il est très perturbé, votre enfant se calmera si vous lui parlez d'une voix apaisante.

Vous devriez aussi encourager son aptitude à écouter. Quand il joue dans son lit, faites des bruits provenant de différents endroits de la pièce, à sa gauche, à sa droite, juste derrière lui. Attendez à chaque fois qu'il se tourne vers vous pour regarder, et faites-lui un grand sourire ou un câlin quand il y parvient.

Ce genre d'activité améliore son attention et ses capacités d'écoute, éléments indispensables au développement de la parole.

Une autre activité est particulièrement profitable entre 4 et 6 mois : la lecture, quelle que soit l'histoire que vous lui racontez (tant qu'elle convient à un jeune enfant). Ce qui compte, c'est que vous la lui lisiez avec énergie, en mettant le ton et en modulant votre voix selon les personnages, de manière à éveiller son attention. De temps en temps, levez les yeux pour vous assurer qu'il vous regarde. S'il est distrait, attirez gentiment son attention avant de poursuivre.

Conseils malins

1. Faites-lui écouter de la musique avec des tempos différents. Il commence à réagir aux différentes musiques. Un rythme rapide le fera peut-être rire alors qu'un air lent le calmera et l'aidera à arrêter de pleurer.

2. Asseyez-le face à vous. Maintenez-le fermement sur vos genoux et racontez-lui une histoire (ou chantez). Vous pouvez remuer les jambes en même temps. Il appréciera davantage cette activité s'il vous voit bien.

3. Quand vous l'emmenez en promenade dans sa poussette, parlez-lui de ce qu'il voit autour de lui, de la couleur de l'herbe ou de la taille du bus qui vient de passer. S'il regarde quelque chose, faites un commentaire à ce sujet.

4. Répondez-lui, même si ses babillages ne veulent rien dire, comme s'il s'efforçait de vous communiquer ses pensées ou ses sentiments. Vous tomberez quelquefois juste !

5. Donnez-lui l'exemple. Pour qu'il diversifie ses babillages, faites-lui découvrir de nouveaux sons. Placez-le face à vous et répétez plusieurs fois un son particulier. Il essaiera de vous imiter.

L'OUÏE

➤ Une déficience auditive risque de ralentir le développement du langage, dans la mesure où l'enfant entend mal les sons qu'il produit lui-même et ceux qu'émettent les autres. Un bébé à qui cette stimulation auditive précoce fait défaut aura plus de peine à apprendre à parler.

➤ Parmi les signes révélateurs d'une possible déficience auditive : une réaction lente à votre voix, un manque de réaction quand vous lui parlez en étant hors de son angle de vue et un sursaut si vous faites brusquement apparition devant lui (parce qu'il ne vous a pas entendu approcher).

Stimuler le langage :
de 7 à 9 mois

Si vous écoutez attentivement les sons de votre bébé, vous remarquerez qu'ils semblent suivre un enchaînement. Votre bébé commence peut-être à utiliser régulièrement les mêmes combinaisons de sons, qui correspondent parfois à des situations précises. Cela prouve que son babillage est contrôlé et non plus le fruit du hasard : votre enfant utilise donc la parole de manière plus construite.

Quelques suggestions

En plus de parler à votre bébé normalement, prenez de temps en temps la peine d'imiter les doubles syllabes qu'il énonce. Faites de cet exercice un jeu pendant quelques minutes chaque jour. Cette activité lui procurera beaucoup de plaisir.

Quand il est assis dans sa chaise haute après son déjeuner (et donc de bonne humeur et prêt à jouer avec vous), attendez qu'il se mette à babiller, puis

Les livres d'images sont une précieuse aide à l'apprentissage du langage. Votre enfant saura vite reconnaître les images familières.

choisissez l'une des combinaisons de sons qu'il vient d'émettre et répétez-la lui en souriant et en rapprochant votre visage à 20-25 cm du sien. Le fait que vous employiez les mêmes sons que lui le rendra très fier.

Les avis diffèrent concernant l'usage du « parler bébé » à la place des mots ordinaires. Certains affirment qu'il est préférable, par exemple, de dire « toutou » à la place de « chien » , car ce terme s'apparente au langage qu'utilise un enfant de cet âge et attire donc rapidement son attention.

Les jeux de cache-cache suscitent toujours une réaction enthousiaste.

Conseils malins

1. Laissez-le faire des bulles ! Votre bébé fera des bulles avec sa salive en émettant des sons. Si cette habitude vous agace, sachez qu'elle contribue à renforcer les muscles de ses lèvres.

2. Récitez des comptines accompagnées de bruits. Cela l'amusera beaucoup et il essayera peut-être de vous imiter.

3. Jouez à des jeux de « cache-cache ». Ces agréables activités,

comme lorsque vous dissimulez votre visage derrière vos mains avant de réapparaître brusquement, augmentent la concentration et l'attention de votre enfant qui s'efforce d'anticiper votre réapparition.

4. Regardez son dessin animé préféré avec lui. Asseyez-vous près de lui pendant qu'il regarde une cassette. Veillez à lui parler au lieu de rester silencieux. Évoquez

les personnages et les situations au fur et à mesure qu'elles se présentent.

5. Utilisez des images individuelles. Achetez, ou fabriquez, des cartes toutes simples représentant un seul objet. Montrez-les à votre enfant, l'une après l'autre, en désignant l'objet en question. N'insistez pas plus de quelques minutes par jour sur cette activité.

131

En nommant souvent les objets, vous apprenez à votre enfant à comprendre les mots et leur sens bien avant qu'il puisse parler.

Q Mon fils a presque 9 mois, et je suis convaincu que son aptitude au langage se développe plus lentement que pour sa sœur aînée au même âge. Est-ce normal ?

R Les spécialistes ont démontré qu'en règle générale les garçons appréhendent le langage plus lentement que les filles. Il s'agit toutefois d'une tendance, non d'une généralité. Il semble néanmoins que les progrès plus rapides de votre fille en la matière s'expliquent.

Q Mon fils a 7 mois. Quand il babille, il utilise des sons qui ne font pas partie de notre langue. Pourquoi ?

R On a déterminé que les bébés de nationalités différentes ont tendance à employer la même gamme de babillages (y compris des sons qu'ils n'ont jamais entendus). Votre enfant finira par se concentrer sur les sons appropriés à sa langue.

Jouets : miroir pour enfant, balle molle, boulier pour chaise haute, livres d'histoires mous, cassettes et CD

D'autres estiment que cette stratégie risque d'inciter l'enfant à apprendre d'abord le « parler bébé » avant d'assimiler le bon par la suite, lorsque ses aptitudes linguistiques se seront développées. La meilleure solution consiste sans doute à employer le mot exact dès le début. Il est inutile de recourir à des « mots de bébé » puisque votre enfant a la capacité naturelle de saisir les mots clés dans votre discours.

N'oubliez pas de nommer les objets d'usage quotidien lorsque vous vous en servez. On peut facilement se dire que cela ne sert à rien puisque l'enfant n'est pas prêt à associer un mot à un objet spécifique.

Des études psychologiques ont cependant montré qu'un bébé de 9 mois est capable de comprendre beaucoup plus de choses qu'on ne l'imagine. Faites-en l'expérience vous-même. Demandez-lui : « Où est la cuiller ? ». S'il a compris, il cherchera l'ustensile en question.

Stimuler le langage :
de 10 mois à 1 an

Votre enfant est probablement sur le point de prononcer son premier mot. C'est un immense pas en avant, car il est désormais capable de recourir à la parole pour communiquer avec vous plus efficacement et avec davantage de précision. Son vocabulaire s'étendra rapidement au cours des années suivantes.

Quelques suggestions

Donnez-lui de bons exemples à suivre. Si vous remarquez que votre enfant a tendance à recourir aux mêmes combinaisons de sons pour décrire une personne ou un objet, même si cela n'a rien à voir avec le

Dès 11 mois, votre enfant suivra vos consignes en vous donnant par exemple ce que vous lui demandez ou en le reprenant.

133

Q Pourquoi le premier mot d'un bébé est-il presque toujours « papa » ou « mama » ?

R C'est parce que les parents passent beaucoup de temps avec leur enfant et sont donc les adultes qu'il connaît le mieux. Il se peut aussi que son premier mot soit le nom du chien ou celui de son jouet préféré.

Q Un enfant de 1 an est-il conscient du nom des personnes qui l'entourent ?

R En plus de reconnaître son nom quand il l'entend, l'enfant connaît probablement ceux de sa famille et d'autres adultes qu'il voit souvent, sa nounou ou sa baby-sitter par exemple. Quand il est avec vous et ses frères et sœurs, dites un nom. Vous verrez qu'il se tournera vers la personne désignée avant qu'elle ne prenne la parole.

Jouets : boîte à musique, livres d'histoires avec des images simples, petit animal en plastique, téléphone en plastique, peluches.

terme qui convient, encouragez-le en prononçant le mot exact. Par exemple, s'il énonce les sons « pa-ni » quand il voit sa grand-mère, vous pourriez lui dire « Oui, c'est mamie ». Même si son babillage et le mot que vous avez employé sont totalement différents de votre point de vue, votre enfant pense peut-être qu'ils sont similaires. De cette manière, vous lui fournissez un modèle à imiter.

Ne faites pas pression sur lui pour qu'il dise son premier mot. Vous risqueriez de le décourager. À cet âge, les sons que votre bébé prononce devraient être spontanés, non forcés, et émaner de son désir de communiquer avec vous plutôt que de la crainte de vous décevoir s'il ne parle pas.

Certes, tous les parents d'enfants de cet âge cherchent avec attention la combinaison de sons qui pourrait passer pour un mot. Mais il y a une différence entre attendre avec joie l'apparition d'un premier mot et angoisser l'enfant parce qu'il n'a pas encore répondu à vos espérances. Les chansons et les comptines devraient jouer un rôle important dans sa vie quotidienne.

Une autre étape est franchie lorsque votre enfant commence à écouter une histoire avec plaisir, au lieu de s'intéresser aux livres d'images seulement.

Il connaît maintenant très bien les airs comme les paroles, et s'efforce de chanter en même temps que vous. Cette activité améliore ses capacités d'écoute et lui apprend aussi la nature séquentielle du langage, c'est-à-dire le fait que le langage est un enchaînement et non pas une succession de sons au hasard. Manifestez-lui votre enthousiasme quand il essaie de participer.

Écoutez-le attentivement. Il faut qu'il sache que vous vous concentrez sur les sons qu'il énonce, tout comme vous vous attendez à ce qu'il vous écoute.

Regardez-le dans les yeux quand il vous parle, imitez son expression et écoutez-le sans l'interrompre inutilement, puis réagissez comme si vous aviez compris le message qu'il s'efforce de vous transmettre. C'est l'étape préliminaire à un véritable dialogue.

Les jouets musicaux contribuent au développement de votre enfant et l'incitent à expérimenter différents sons.

● Conseils malins

1. Parlez à votre enfant durant la journée. Vous entendre parler dans un but précis, que ce soit à lui ou à quelqu'un d'autre, sera bénéfique pour votre bébé. Cette stimulation simple l'aidera à étendre son vocabulaire.

2. Donnez à votre bébé des « instruments de musique ». Il adorera jouer du tambour et inventera son accompagnement vocal. Le bébé s'amuse à créer des « chansons » et ne s'en lasse pas.

3. Attendez-vous à ce qu'il réagisse à des consignes simples. Demandez à votre bébé de 1 an de vous tendre la cuiller. Récompensez-le s'il réussit en lui souriant ou en lui faisant un câlin. S'il ne comprend pas, répétez la question, puis prenez vous-même la cuiller pour lui montrer.

4. Blottissez-vous l'un contre l'autre quand vous regardez la télévision. Pendant qu'il se serre contre vous, parlez-lui d'une voix douce du programme que vous regardez. S'il est détendu, il écoutera avec plus d'attention.

5. Lisez-lui une histoire à l'heure du coucher. Votre enfant sera plus calme le soir si vous lui lisez une histoire. Il se concentre sur chaque mot dans cette situation parce qu'il est heureux et que rien d'autre ne le distrait.

❯ Chaque enfant se développe à son rythme et, si la majorité a sans doute déjà prononcé son premier mot à l'âge de 15 mois, un nombre assez important n'y parvient que plusieurs mois plus tard.

❯ Inutile de vous inquiéter outre mesure s'il n'a toujours pas dit son premier mot, surtout si d'autres signes d'un développement normal de la parole sont présents.

❯ Le babillage, de même que sa participation active aux chansons et aux comptines, sont des indices positifs qui montrent que le langage de votre enfant évolue normalement.

Stimuler le langage :
de 13 à 15 mois

Si votre enfant n'avait pas encore commencé à parler à la fin de sa première année, il aura très certainement franchi cette étape à 15 mois. Il est capable de dire plusieurs mots et comprend le sens de centaines d'autres, même si l'un d'eux suscite sans doute toujours une réaction négative : « Non » !

Quelques suggestions

C'est le moment de lui apprendre à jouer à « faire semblant » en utilisant ses peluches par exemple. Disposez-les en cercle et faites mine de leur parler. Au début, votre enfant vous regardera peut-être d'un air étonné ou éclatera de rire. Mais il s'apercevra vite que c'est très amusant et se prendra au jeu. Faites-le plusieurs fois avec lui et vous vous rendrez bientôt compte qu'il dialogue tout seul avec ses animaux. Vous l'entendrez bavarder à leur adresse ou se parler à lui-même.

À 15 mois, votre enfant aura sans doute des conversations avec ses peluches.

Quand vous lui donnez un bain ou quand vous le changez, commencez à lui indiquer le nom des différentes parties du corps. Faites-en un jeu en lui chatouillant, par exemple, la main quand vous lui dites : « C'est ta main ». Recommencez chaque soir en évitant tout de même que le jeu devienne lassant. Cela l'aidera à apprendre ces nouveaux mots.

Arrangez-vous pour que votre enfant passe du temps avec d'autres enfants ayant à peu près le même âge (s'ils ont quelques mois de plus, cela n'a aucune importance). Il ne jouera pas avec eux, mais sera fasciné par leur utilisation du langage.

Utilisez les activités quotidiennes pour nommer les objets courants comme les chaussures. Votre enfant les apprend vite.

Conseils malins

1. Commencez par lui indiquer les couleurs. Votre enfant est encore loin d'identifier et de nommer les principales nuances, mais rien ne vous empêche d'entamer l'apprentissage dès maintenant. Aidez-le à les différencier.

2. Manifestez votre enthousiasme à chaque fois qu'il prononce un mot nouveau. Pour cela, il faut que vous soyez assez attentif pour pouvoir déterminer quand un nouveau mot entre dans son vocabulaire. Votre approbation l'enchantera.

3. Nommez-lui les objets que vous lui mettez dans les mains. Faites-le aussi souvent que possible, car la technique est très efficace. Par exemple, il apprendra plus vite le mot « ballon » s'il joue avec plutôt que s'il le regarde passivement.

4. N'hésitez pas à répéter.

Certes, vous ne voulez pas que votre conversation avec votre enfant soit ennuyeuse, mais en répétant le nom des objets, vous favorisez son apprentissage du langage.

5. Jouez avec des marionnettes. Votre enfant de 15 mois en raffole, surtout quand vous les remuez et les faites parler. Il essayera de leur répondre. C'est une activité amusante, qui fait appel à son imagination et étend son vocabulaire.

À cet âge, la plupart des enfants veulent ressembler aux autres, et font tout ce qu'ils peuvent pour les imiter. La compagnie d'autres enfants peut donc indirectement stimuler leurs aptitudes au langage.

Votre enfant continuera à recourir à des gestes pour communiquer, même si ses capacités verbales s'améliorent régulièrement. Vous pouvez favoriser ses progrès linguistiques en résistant à la tentation de répondre uniquement à ses gestes. S'il désigne son verre de jus de fruits par exemple, demandez-lui : « Tu veux ton verre ? » ou mieux encore « Que veux-tu ? ». Répétez la question s'il persiste dans son silence. Pour finir, il essayera de communiquer son désir par la parole plutôt que par gestes.

À cet âge, un enfant apprécie les chansons et les comptines qui s'accompagnent de gestes.

Q Mon fils de 5 ans aime beaucoup sa sœur de 15 mois, mais il a tendance à parler à sa place. Dois-je l'en dissuader ?

R Oui. Expliquez-lui que vous êtes ravi qu'il veuille aider sa sœur, mais qu'elle doit apprendre à parler seule. Suggérez-lui de l'aider en la laissant essayer de parler, même si ce n'est pas facile pour elle. Il comprendra.

Q Pourquoi la plupart des enfants commencent-ils par prononcer des mots isolés, alors que d'autres font des phrases entières dès le début ?

R C'est un autre exemple des innombrables variations possibles d'un développement normal. De même que la majorité des enfants rampent avant de marcher alors que certains se mettent à marcher sans passer par cette étape, dans le cas de la parole, il peut arriver qu'il n'y ait pas de transition.

Jouets : jouets mécaniques, instruments et jouets musicaux pour enfants, train en plastique, cassette de bruits d'animaux, peluches et poupées.

APPRENTISSAGES

Le développement des aptitudes

Votre enfant apprend tellement de choses au cours des quinze premiers mois que vous aurez beau essayer, vous ne pourrez jamais tout noter ! Du nourrisson qui ne connaît rien du monde qui l'entoure au bambin entreprenant qui interprète, pense, prend des décisions et mémorise les choses, la transformation est saisissante.

De nombreux objets ordinaires offrent à votre enfant des occasions d'explorer.

C'est principalement à travers le jeu qu'un enfant améliore son aptitude naturelle à apprendre. Peu importe qu'il joue avec un hochet, sa couverture, de la nourriture, ses mains, l'eau de son bain ou même sans rien : dès qu'il s'occupe activement avec un élément de son environnement, quel qu'il soit, il assimile de nouvelles informations.

Considérez-le comme un scientifique en herbe, dynamique et impatient de tout explorer. Pour votre bébé, chaque expérience est une découverte excitante. Vider le contenu de la machine à laver dans un bac fait partie de votre routine quotidienne au point que vous le faites probablement sans y penser : votre enfant, lui, trouve cela passionnant. Il absorbe tout ce qu'il voit et améliore ainsi ses capacités jour après jour. On peut définir ces aptitudes à l'apprentissage (également baptisées facultés cognitives, ou intelligence) comme la capacité d'assimiler de nouveaux concepts, de comprendre les événements qui se produisent autour de lui, d'utiliser précisément sa mémoire et de résoudre de petits problèmes.

Je suis prêt !

Dès sa naissance, votre enfant dispose déjà d'une variété d'aptitudes qui lui permettent d'explorer et de découvrir le monde, notamment :

• **Discernement visuel.** Quelques heures après avoir vu le jour, il est capable de faire la différence entre votre visage et celui d'un inconnu, entre l'image d'un vrai visage et une autre représentant un assemblage désordonné de traits humains.

• **Discernement tactile.** Très vite, il réagit différemment aux crins de brosse à cheveux d'épaisseurs différentes. En d'autres termes, il sait que des crins épais ne font pas la même impression que des fins. Il réagit aussi à un souffle d'air si infime que vous n'en seriez pas conscient vous-même.

• **Discernement gustatif.** Votre nouveau-né a déjà un sens du goût et de l'odorat. Il a des expressions distinctes selon qu'il goûte quelque chose de sucré, d'amer ou d'acide. Ces expressions s'apparentent à celles que nous avons en pareil cas.

• **Discernement gestuel.** Les mouvements de mains et de bras de votre nourrisson ne sont pas totalement désordonnés. Dans une étude, on a équipé des petits bébés de lunettes spéciales qui faisaient apparaître un objet là où il n'y en avait pas. Les sujets tendaient les bras vers l'objet en question et pleuraient en découvrant qu'il n'existait pas.

• **Discernement auditif.** Un bébé est capable de faire la distinction entre deux pleurs. Il a par exemple été démontré qu'un bébé pleure en voyant un autre pleurer, alors qu'il a tendance à s'arrêter lorsqu'on lui passe un enregistrement de ses propres pleurs. Il préfère aussi le son d'une voix humaine à tout autre bruit.

Les jouets à fonctions multiples fascineront un enfant un peu plus grand, même s'ils perdent assez vite de leur intérêt.

Ces informations confirment qu'un bébé est prêt à apprendre dès sa naissance. Ces aptitudes fondamentales à l'apprentissage sont la base de tout son développement futur. Dès ce moment et jusqu'au quinzième mois, sa soif d'apprendre, de comprendre et de découvrir est intarissable.

L'origine des aptitudes à apprendre

Personne ne sait précisément d'où proviennent ces capacités, mais deux hypothèses principales s'opposent :

• **Aptitudes héritées.** Comme l'enfant hérite de nombreuses caractéristiques de ses parents (la couleur de ses yeux, sa taille, par exemple), il semble logique que certaines aptitudes relatives à l'apprentissage puissent aussi lui être léguées. Des études ont démontré par exemple que les vrais jumeaux ont des niveaux d'intelligence plus voisins que les faux jumeaux. Cependant, il est impossible de quantifier précisément la part de l'hérédité dans ce domaine.

• **Aptitudes acquises.** D'innombrables indices – émanant d'études scientifiques comme du bon sens au quotidien montrent qu'un enfant apprend par l'expérience et que la qualité de son apprentissage dépend de ses expériences au cours des premières années de sa vie. Cette théorie laisse supposer que le niveau de stimulation dont le bébé fait l'objet au cours de cette phase initiale a une influence considérable sur ses capacités cognitives. En proposant à votre enfant une large gamme de jeux, vous améliorez ses aptitudes.

L'explication se situe probablement quelque part entre ces deux extrêmes. L'intelligence de votre enfant, ou ses facultés cognitives, résulte vraisemblablement de l'interaction entre les capacités dont il dispose à la naissance et les expériences intéressantes qu'il fait en grandissant. C'est la raison pour laquelle il est important de le considérer comme un petit apprenti, à qui il faut des stimulations et des défis. Les échanges entre votre bébé et vous favoriseront son apprentissage.

Souvenez-vous qu'un bébé apprend mieux dans un climat détendu. Si les efforts qu'il déploie pour apprendre et découvrir sont accueillis par l'indifférence ou l'anxiété d'un parent, il ne tardera pas à perdre sa motivation. Le jeu comme l'exploration doivent être amusants pour tout le monde.

De la naissance à 7 mois

Âge	Quelles sont ses capacités ?	Comment le stimuler ?
1 semaine	› Malgré la multitude de sons et de visions qui composent son environnement immédiat, l'enfant réussit parfois à canaliser son attention.	› Tenez votre bébé face à vous de manière à ce que son visage soit à 18-23 cm du vôtre. Il vous regardera au début, puis son regard vagabondera. Si vous dites son nom doucement, il reportera son attention sur vous.
1 mois	› Votre bébé adore regarder ce qui se trouve à portée de sa vue, surtout si l'objet en question est proche de son visage.	› Regardez-le quand il est couché tranquillement dans son lit. Vous remar- querez qu'au bout d'un moment, il joue avec ses doigts. Il les tortille peut-être un peu, les met dans sa bouche ou les agite simplement en l'air. Ses mains et ses doigts le fascinent.
2 mois	› Il contrôle plus précisément sa vision et observera avec intérêt un objet qui bouge régulièrement devant lui.	› Prenez un petit jouet et attachez une ficelle de 30 cm de long environ à un bout. Agitez-le devant votre bébé jusqu'à ce qu'il attire son attention, puis bougez-le en un mouvement circulaire. Son regard ne quittera pas l'objet tant qu'il tourne en rond. Ne prolongez pas trop longtemps cette activité.
3 mois	› Les capacités cognitives de votre enfant se sont améliorées au point qu'il est conscient du rapport entre son comportement et une réaction particulière.	› Quand votre enfant est bien installé dans son lit, parlez-lui pour qu'il vous regarde. Ensuite, posez délicatement un mouchoir propre sur ses yeux tout en continuant à lui parler pour qu'il sache que vous êtes toujours là. Vous verrez qu'il gigotera jusqu'à ce que le mouchoir tombe.

De la naissance à 7 mois
(suite)

Âge	Quelles sont ses capacités ?	Comment le stimuler ?
4 mois	❯ Sa mémoire s'est étendue au point qu'il se souvient de la manière dont on joue avec un jouet particulier.	❯ Prenez un jouet comportant plusieurs parties qui se démontent et montrez à votre bébé comment fonctionne un des éléments. Laissez-le jouer avec quelques minutes, puis rangez le jouet deux ou trois jours. Si vous le lui rendez ensuite, il se souviendra de ce qu'il faut faire.
5 mois	❯ Plus sûr de lui, il se lance dans la découverte à la moindre occasion.	❯ Installez votre bébé sur sa chaise haute et, sur son plateau, disposez tout un assortiment de petits jouets. Vous verrez qu'il s'en empare les uns après les autres, jouant avec chacun jusqu'à ce qu'il s'en lasse et tourne son attention vers le suivant.
6 mois	❯ Il commence à se reconnaître quand il se voit en photo ou dans la glace. Il est content quand vous lui dites que c'est lui.	❯ Donnez-lui un miroir pour enfant muni de larges poignées de part et d'autre. Aidez-le à s'en saisir et rapprochez doucement la glace de son visage pour qu'il se voie. Il se dévisagera avec attention et sourira.
7 mois	❯ Sa mémoire a encore progressé : il se souvient maintenant du visage des grandes personnes, même s'il ne les voit pas très souvent.	❯ Observez très attentivement votre enfant quand arrive un adulte qu'il n'a pas vu depuis plusieurs jours (sa baby-sitter ou un parent par exemple). Vous remarquerez qu'il devient tout excité au moment où il le reconnaît.

⤵ De 8 à 15 mois

Âge	Quelles sont ses capacités ?	Comment le stimuler ?
8 mois	❯ Il comprend qu'un objet existe encore même quand il est caché et essaie de le trouver.	❯ Mettez un petit jouet dans un gobelet sous les yeux de votre enfant de 8 mois, puis demandez-lui « Où est le jouet ? ». Dès que vous avez fini de poser la question, il tendra la main pour soulever le gobelet. Il sera ravi de sa réussite !
9 mois	❯ Les matières l'intéressent. Il adore sentir les textures et découvrir les possibilités qu'elles lui offrent de créer des formes et des bruits nouveaux.	❯ Posez une feuille de papier sur son plateau pendant qu'il est assis sur sa chaise haute, ou bien encore à côté de lui quand il est par terre. Il la prendra, la chiffonnera avant de la jeter. Ne laissez pas traîner des documents importants !
10 mois	❯ Votre enfant comprend la notion d'imitation. Il sait qu'il peut observer une action et essayer de la copier.	❯ Asseyez votre enfant par terre face à vous. Souriez-lui et tapez doucement dans vos mains, encore et encore, mais doucement pour que cela ne le fasse pas cligner des yeux. Il tentera de vous imiter en dépit de son manque de coordination.
11 mois	❯ Il a appris à se concentrer au point qu'il est capable de s'absorber dans une activité au moins une minute sans se laisser distraire.	❯ Asseyez votre enfant sur vos genoux et laissez-le regarder son livre d'images préféré pendant que vous tournez les pages. Il regardera attentivement les images sans se lasser et en désignera peut-être même quelques-unes.

➥ **De 8 à 15 mois**
(suite)

Âge	Quelles sont ses capacités ?	Comment le stimuler ?
1 an	❯ Il comprend des consignes simples tant qu'elles sont directes et ne concernent qu'une seule action à sa portée.	❯ Donnez-lui une consigne simple, par exemple « Passe-moi ce jouet ». Il comprendra où vous voulez en venir, regardera autour de lui avec attention en quête du jouet et vous le tendra. Vous pouvez aussi lui demander de dire « au revoir » de la main.
13 mois	❯ Il ne se contente plus d'être passif pendant le repas ; il veut participer et parfois même diriger les opérations.	❯ Même si cela risque de faire des dégâts, laissez votre enfant de 13 mois essayer de manger avec une cuiller. Une partie de son contenu tombera sûrement par terre, mais il est déterminé à contrôler la situation.
14 mois	❯ Il peut accomplir une tâche simple, même si elle demande un peu de temps, tant que vous l'encouragez.	❯ Donnez-lui un grand bol et un tas de petites billes en bois (en vous assurant qu'il ne les mette pas dans sa bouche). Mettez une bille dans le bol, puis une autre et demandez-lui de faire pareil. Il en transférera ainsi une dizaine avant de se lasser.
15 mois	❯ Votre enfant est capable d'associer sa coordination œil-main, sa concentration, sa mémoire et sa compréhension de manière à accomplir une tâche plus complexe.	❯ Installez confortablement votre enfant à une table sur une chaise à sa taille. Construisez une petite tour de cubes en bois devant lui, puis donnez-lui quelques cubes et demandez-lui de vous imiter. Selon son humeur, il en bâtira peut-être une de trois étages.

Stimuler les apprentissages :
de la naissance à 3 mois

Votre bébé passe bien sûr le plus clair de sa journée à téter, à dormir ou à pleurer, mais ne soyez pas dupe ! Au cours de ces trois premiers mois, il assimile sans arrêt de nouvelles informations. Il observe tout ce qu'il voit et essaie de comprendre. Mieux encore, il préfère toucher ; c'est une méthode d'exploration beaucoup plus efficace.

Quelques suggestions

Partez du principe que tout ce que votre bébé voit et entreprend contribue à développer ses aptitudes. Éveillez sa curiosité. Jouez avec lui, parlez-lui pendant que vous le baignez ou quand vous le changez. Il regarde la couche qui apparaît et essaie de comprendre comment elle est arrivée là. Il est réceptif à la sensation du lait nettoyant et du talc sur ses fesses, et s'émerveille de la manière dont on lui met ses habits. Il y a tant de choses à apprendre dans les activités quotidiennes. Sa vision peut déjà se concentrer à 18 cm de lui environ.

Le sourire d'un bébé, en réaction à un visage ou une voix, est l'un des premiers signes d'éveil.

DISCERNEMENT DES COULEURS ET DES FORMES

➤ On a du mal à imaginer qu'un bébé puisse être suffisamment évolué pour faire la distinction entre les couleurs, mais c'est bel et bien le cas ! Des expériences ont prouvé que si l'on montre simultanément différentes couleurs à un nourrisson, il regarde plus longtemps les objets bleus et verts que les objets rouges. La préférence en matière de couleurs est présente de très bonne heure.

➤ Il en va de même pour les formes. Le temps qu'un bébé passe à fixer des formes distinctes confirme qu'il fait la différence entre un cercle, un triangle, une croix et un carré. Les psychologues ignorent ce que les enfants de cet âge voient précisément, mais il ne fait aucun doute qu'ils différencient ces quatre formes.

Q&R

Q   Mon petit bébé devrait-il être capable d'imiter certains de mes gestes ?

R   Dans une certaine mesure, oui. Si vous vous mettez au pied de son lit et faites un geste dont il est capable (ouvrir et fermer la bouche ou tirer la langue, par exemple), il y a des chances qu'il le répète plus fréquemment juste après vous avoir vu le faire.

Q   Faut-il que je parle et que je sourie à mon bébé pendant que je joue avec lui, ou cela risque-t-il de le déconcentrer ?

R   Son attention sera momentanément détournée, mais cet effet légèrement négatif est largement compensé par le plaisir que vous lui procurez. S'il est heureux et satisfait parce que vous lui manifestez de l'intérêt, il sera dans un meilleur état d'esprit pour apprendre et découvrir.

Tenez-le à cette distance de votre visage en le nichant au creux de votre bras, puis déplacez lentement un jouet dans l'espace entre votre visage et le sien. Cela l'incite à centrer son attention sur l'objet tout en stimulant sa curiosité naturelle. Vous verrez qu'il gigote dans vos bras pour manifester son intérêt, même s'il n'est pas encore capable d'attraper l'objet.

Donnez-lui un assortiment de jouets colorés qui font du bruit, qu'il soit dans son lit ou dans sa poussette. Il ne faut pas trop encombrer son espace, évidemment, ou il ne s'intéressera à aucun jouet en particulier. Mais il aime bien avoir deux ou trois jouets différents près de lui, y compris une peluche. Pourquoi pas ? Il apprendra autant avec un nounours qu'avec un autre objet, sur la texture, le volume et le mouvement par exemple.

Dès leur naissance, les bébés sont capables de faire la distinction entre les couleurs et les formes bien qu'on ne s'en rende pas toujours compte.

Les mobiles ont un rôle important dans la vie d'un bébé de cet âge. Comme ses explorations sont principalement visuelles plutôt que tactiles (dans la mesure où il n'arrive pas encore à saisir les jouets qui attirent son attention), il est content de regarder un assemblage intéressant d'éléments suspendus au-dessus de son lit. Il assimilera une foule d'informations en les observant tandis qu'ils tournent au-dessus de lui en présentant des angles différents. Choisissez un mobile de couleurs vives, comportant de préférence de nombreux éléments distincts. Ainsi, tandis qu'il pivote doucement sur son axe, chaque nouvelle face ravira votre enfant.

Les jouets colorés, aux textures variées, qui font du bruit, sont l'idéal pour les bébés.

Conseils malins

1. **Passez du temps à jouer et à parler avec votre bébé**. Il apprend autant avec vous que tout seul. À cet âge, il dépend de vous pour découvrir des activités ludiques.

2. **Ne craignez pas de stimuler plus qu'il ne faut votre enfant**. Il faut bien sûr éviter de le faire au point de le voir pleurer, mais c'est peu probable. Il est trop ravi d'être stimulé et de jouer avec vous.

3. **Souvenez-vous qu'il apprend à tout instant, même à cet âge**. Quoi que vous fassiez avec lui, il interprétera vos actions et vos réactions à sa manière. Il ne se contente pas de rester couché à regarder passivement le monde s'agiter autour de lui.

4. **Laissez-le jouer deux jours de suite avec les mêmes jouets**.

La variété est importante, mais votre bébé apprend des choses nouvelles chaque fois qu'il manipule un jouet, selon la manière dont il le tient et le regarde.

5. **Ayez confiance en vous**. Puisque votre enfant enregistre une foule de choses chaque jour en jouant avec vous, soyez sûr que vous lui fournissez suffisamment de stimulations.

LE COMPORTEMENT S'APPREND !

➤ Votre enfant apprend aussi à établir des associations en matière de comportement. Ne sous-estimez pas ses aptitudes dans ce domaine. Il sait par exemple que pleurer ou crier peut être un moyen efficace pour attirer votre attention. La plupart des parents réagissent instantanément aux pleurs d'un bébé. Et ils ont raison.

➤ Dans certains cas, pourtant, mieux vaut attendre quelques secondes avant de se précipiter. De cette manière, votre bébé apprendra aussi à affronter tout seul certaines situations. Bien sûr, s'il pleure parce qu'il a faim, il faut lui donner à manger. Mais si c'est l'ennui qui le pousse à crier, un léger délai avant que vous interveniez l'incitera à chercher lui-même de quoi se distraire.

Stimuler les apprentissages : de 4 à 6 mois

À cet âge, votre enfant devient plus audacieux et s'intéresse davantage aux objets qui ne sont pas directement à sa portée. C'est l'un des changements les plus notables dans son comportement. On a l'impression que sa vision de la vie s'agrandit à mesure qu'il prend conscience de l'immensité du monde qui l'entoure. En outre, le meilleur contrôle qu'il exerce sur ses muscles lui permet de tendre le bras et d'attraper. Toute une gamme d'expériences nouvelles s'offre désormais à lui !

Une fois que votre bébé aime jouer à plat ventre, placez un jouet juste au-delà de sa portée pour l'encourager à allonger le bras dans sa direction.

Un tableau d'éveil suspendu aux barreaux de son lit contribuera à sa stimulation, même quand vous n'êtes pas là.

Quelques suggestions

La capacité de se concentrer est essentielle à l'apprentissage d'informations nouvelles : vous pouvez déjà commencer à développer cette aptitude chez votre enfant. Au cours des premiers mois, il utilise son attention passivement : il regarde un objet seulement s'il se trouve juste devant lui.

Vers l'âge de 5 ou 6 mois, toutefois, votre bébé maîtrise mieux ses mouvements et il est capable de chercher des objets. Entraînez-le à le faire. Pendant qu'il vous regarde, allez poser son nounours sur une chaise dans un autre coin de la pièce, mais à un endroit où il le voit. Jouez quelques minutes avec lui, puis demandez-lui : « Où est ton nounours ? ». Il fouillera la pièce du regard pour le trouver. S'il n'y parvient pas, faites une nouvelle tentative. S'il n'y arrive toujours pas, recommencez tous vos gestes en vous assurant qu'il vous voit poser l'ours sur la chaise.

Conseils malins

1. **Laissez-le jouer assis**. Même s'il a encore besoin d'être soutenu, il jouera différemment avec ses jouets dans cette position que lorsqu'il est allongé. Il aura une plus grande liberté de mouvements et pourra mieux se servir de ses bras et ses mains.

2. **Donnez-lui des jouets adaptés à son âge**. Les consignes fournies par les fabricants de jouets à cet égard ne s'appliquent pas à tous les enfants, mais elles sont généralement exactes. Inutile de donner à votre bébé un jouet prévu pour un enfant plus grand. Il ne saura pas quoi en faire !

3. **Donnez-lui des jouets qui « réagissent »**. Votre bébé est à un âge où il commence à faire le lien entre son comportement et la « réaction » d'un jouet (un bruit pas trop fort ou une lumière).

4. **Accordez-lui votre attention et souriez-lui quand il joue**. Vous remarquerez qu'il lève souvent les yeux vers vous pendant qu'il joue, surtout s'il a réussi à franchir une nouvelle étape. Dans ce cas, montrez-lui que vous êtes fier de lui.

5. **Démarrez une activité habituelle**. Pour stimuler son aptitude à anticiper les événements, faites le premier geste d'une tâche familière d'une manière très évidente (par exemple, sortez sa serviette de bain du placard en faisant du bruit) et observez sa réaction.

Q & R

Q Mon bébé de 6 mois adore jeter ses jouets quand il est dans sa poussette. Est-ce une bonne idée de les attacher à un morceau de ruban ?

R Vous devez faire très attention si vous utilisez cette stratégie, car votre enfant risque de s'enrouler le ruban autour du cou. Il faut donc que le ruban mesure moins de 15 cm. Mieux vaut lui rendre le jouet deux ou trois fois, puis le mettre dans votre poche.

Q Quand mon bébé joue, faut-il éteindre la radio pour lui éviter d'être distrait ?

R Vous pouvez baisser le volume, mais il est inutile d'éteindre. Votre enfant doit apprendre à écarter les distractions quand il se concentre. C'est un bon exercice pour lui et ce, dès maintenant. De plus, une musique de fond le détendra peut-être et rendra son activité plus agréable.

Jouets : cubes en bois, portique d'éveil, tableau d'activités, éléments à encastrer, cubes qui font du bruit, jouets qui bougent, de bain, boîte qui fait du bruit.

Ne perdez pas votre temps à chercher des « jouets éducatifs ». À ce stade, tous les jouets ont cette fonction ; votre enfant apprend toujours quand il joue. C'est la raison pour laquelle la boîte en carton dans laquelle se trouvait le jouet coûteux l'interesse parfois plus que le jouet lui-même ! Ses couleurs vives, sa surface lisse et le couvercle qui s'ouvre lui donnent des informations sur les formes, les textures, les couleurs et le mouvement. Vous risqueriez de dépenser beaucoup d'argent pour des jouets qui n'amélioreront pas réellement les capacités de votre enfant.

Une fois qu'il réussit à saisir un jouet, encouragez votre bébé à l'explorer. S'il est craintif, montrez-lui que l'on peut secouer ce jouet, le taper contre les barreaux du lit et même le jeter par terre. Il le tient peut-être toujours de la même façon. Tournez-le différemment en douceur dans ses mains pour qu'il commence à comprendre l'intérêt d'une attitude plus hardie.

Il se fâche peut-être lorsque vous lui donnez un nouveau jouet parce qu'il aimait mieux les anciens. Si c'est le cas, apportez-lui votre nouvelle acquisition, jouez avec lui jusqu'à ce qu'il s'y soit habitué et faites en sorte qu'il continue à jouer avec de temps en temps, comme avec les autres. Élargissez son horizon !

Une fois que votre bébé est capable de s'asseoir, c'est beaucoup plus facile pour lui de manipuler ses jouets dans tous les sens.

Stimuler les apprentissages :
de 7 à 9 mois

Maintenant que votre enfant est capable de ramper, sa sphère d'activités s'est beaucoup agrandie : il peut se lancer à l'assaut de nouveaux territoires. C'est pour cela que vous découvrirez tout à coup qu'il a mis sa petite main à l'intérieur du magnétoscope. Il ne cherche pas délibérément à faire des bêtises. Il a juste envie de savoir ce qui se passe dans ce trou mystérieux qui avale les cassettes, et peut enfin s'en approcher pour le découvrir par lui-même.

Quelques suggestions

Votre bébé de 8 mois s'intéresse souvent plus aux objets qui sont loin de lui. L'aspect inconnu d'un jouet lointain éveille sa curiosité ; il a envie d'en apprendre davantage. C'est pourquoi vous le trouverez en train de se démener pour atteindre un bibelot rangé sur une étagère en hauteur. Il ne peut résister à l'attrait de l'inconnu.

Un bébé découvre des informations sur le son, la texture et la coordination même en faisant quelque chose d'aussi simple que taper deux anneaux en plastique l'un contre l'autre.

REGARDE !
J'Y ARRIVE

À cette période, l'enfant franchit une étape décisive : il se rend peu à peu compte qu'il a un effet direct sur son environnement, et qu'un geste de sa part peut influer sur un objet, même s'il ne l'a pas dans la main. Il apprend d'une manière élémentaire le concept de cause à effet et le met en pratique.

Aussi, ne soyez pas surpris si votre enfant de 9 mois tire sur le tapis pour rapprocher un jouet qui se trouve à l'autre bout. Il a fait le lien complexe entre le geste de tirer le tapis et la possibilité de rapprocher l'objet qu'il désire. Cette prise de conscience lui donne davantage de contrôle sur le monde qui l'entoure.

Q&R

Q Quand mon enfant joue avec des gobelets dans son bain, apprend-il quelque chose ?

R Oui. Observez-le. Vous verrez qu'il regarde intensément le gobelet quand il le remplit, le vide et le remplit à nouveau. C'est la découverte du volume. Il se rend aussi compte que les liquides changent de forme selon le récipient dans lequel ils se trouvent. Là encore, en jouant librement, votre enfant améliore ses facultés cognitives.

Q Mon enfant a 8 mois et j'ai l'impression qu'il ne voit pas les tout petits objets. Est-ce normal ?

R Sa vision s'améliore progressivement, mais elle n'est pas aussi précise que la vôtre. À cet âge, un enfant voit probablement un objet de la taille d'un bouton de chemise, mais rien de plus petit. Au cours des prochains mois, ses aptitudes visuelles se développeront.

Jouets : jouets avec des parties plus petites à emboîter sur un gros élément, jouets à eau, anneaux qui s'empilent, balles de tailles différentes, récipients vides.

Jouez à « Viens le chercher » avec lui pour augmenter son désir d'apprendre. Secouez par exemple une boîte contenant un jouet pour qu'il fasse du bruit, puis allez poser la boîte à quelques mètres de lui. Le désir irrésistible de savoir ce qu'il y a à l'intérieur le poussera à ramper jusque-là pour l'ouvrir.

Bien sûr, votre bébé a aussi plaisir à rester assis par terre entouré de ses jouets, mais son besoin naturel d'apprendre l'incite continuellement à chercher à faire de nouvelles découvertes.

Si vous essayez de l'empêcher d'explorer, il sera probablement furieux contre vous. Il faut établir des limites, sans le décourager. Ce n'est pas toujours facile de trouver un compromis. Vous pouvez par exemple le laisser prendre le réveil pour pouvoir le regarder de près, mais ne le lâchez pas ! Ensuite, remettez-le à l'endroit habituel.

Il est fascinant de regarder un enfant réagir à une image sans se rendre compte qu'il s'agit de son propre reflet.

De cette manière, la curiosité de votre enfant sera satisfaite sans que vous le laissiez libre d'explorer tout ce qu'il veut. Souvenez-vous que votre bébé apprend en jouant. Il a peut-être depuis quelques mois un gros ballon mou, mais chaque fois qu'il le prend, il le mâchonne ou le lâche.

Vers l'âge de 8 ou 9 mois, il apprendra peut-être des activités nouvelles, comme lancer son ballon contre le mur pour qu'il revienne vers lui, il se rendra compte alors que le ballon rebondit s'il le laisse tomber d'une certaine hauteur, ou qu'il roule tout seul si le sol est bien plat. Il découvre aussi de nouvelles fonctions à ses jouets. Encouragez-le à s'amuser avec tous ses jouets et pas seulement avec ceux que vous avez achetés récemment.

Laissez votre bébé jouer avec sa nourriture de temps en temps.

Conseils malins

1. Ne le restreignez pas trop. Des mesures de sécurité doivent être prises, mais laissez votre bébé explorer librement son environnement en le surveillant bien. S'il se dirige vers un territoire interdit, orientez-le gentiment vers une zone plus sûre.

2. Jouez avec des miroirs. Même s'il ne sait pas encore que le reflet qu'il voit dans la glace est le sien, il s'amusera à se regarder dans un miroir pour enfants. Il poussera des cris de joie en voyant votre visage apparaître aussi.

3. Laissez-le, de temps en temps, en mettre un peu partout quand il mange. Les aliments fascinent les enfants parce qu'ils peuvent les mouler, les écraser pour créer toutes sortes de formes. Autorisez quelquefois votre bébé à jouer avec sa nourriture au lieu de manger tout de suite.

4. Continuez à stimuler sa mémoire. Mettez son nounours derrière votre dos, et demandez-lui de le trouver. Si votre main réapparaît sans le jouet, il essayera probablement de ramper derrière vous pour aller le chercher.

5. Au supermarché, mettez-le dans le siège pour bébé de votre caddie. Il est plus facile de faire ses courses sans un enfant ronchon, mais il apprendra énormément en sillonnant les allées avec vous.

Stimuler les apprentissages :
de 10 mois à 1 an

Les capacités de votre enfant ont considérablement évolué en un temps record ! Il est capable de se déplacer et d'explorer depuis plusieurs mois déjà, mais maintenant il est prêt à se concentrer davantage pour apprendre. Si l'exploration est toujours un élément essentiel, il passe davantage de temps qu'auparavant à s'amuser avec chaque jouet, qu'il étudie plus attentivement.

Quelques suggestions

Sa concentration et son attention sont plus systématiques. Jusqu'à présent, il s'éparpillait, passant d'un jouet à un autre, en en observant un quelques instants, jouant un peu avec avant de le jeter. Son développement lui permet désormais de regarder les objets systématiquement et non plus au hasard.

Vous pouvez l'encourager à mieux se concentrer en lui donnant des conseils. Asseyez-le sur votre genou pour regarder un livre d'images.

Cet enfant de 11 mois entasse délibérément des cubes dans le but de les faire tomber.

Au lieu de tourner les pages rapidement, désignez-lui différents objets en attirant son attention sur eux. Des suggestions (« Regarde la poupée, la vache ») aident votre enfant à apprendre à passer la page entière en revue au lieu de canaliser son attention sur la première chose qu'il voit. S'il désigne un objet, puis un autre, félicitez-le. Même s'il ne repère pas les images de façon systématique, laissez-lui quelques secondes avant de tourner la page.

Fournissez-lui des occasions d'exercer les aptitudes qu'il a acquises dans des situations nouvelles. À cet âge, il est capable d'adapter des stratégies déjà utilisées à des problèmes inconnus. Supposons par exemple qu'il aime emboîter des cubes et qu'il y parvienne bien. Essayez de trouver d'autres objets qui entrent les uns dans les autres de la même manière, des gobelets de tailles différentes par exemple.

À cet âge, votre enfant reconnaît des animaux et des objets dans son livre d'images.

Conseils malins

1. **Gardez certains jouets « spéciaux » de côté.** Si votre enfant s'ennuie, donnez-lui un jouet caché pour stimuler son désir d'apprendre.

2. **Indiquez-lui les principales parties du corps.** Agitez doucement la main et dites-lui : « C'est ta main ». Il commencera à faire le rapport entre le mot et la partie du corps concernée.

3. **Jouez avec lui.** Des études ont montré que la présence d'un parent stimule la patience et l'audace durant les phases ludiques.

4. **Commencez une activité qu'il connaît, puis laissez-le continuer.** Cela améliore sa mémoire. Effectuez la première étape d'une tâche routinière (sortez sa serviette de bain par exemple), mais arrêtez-vous là. Donnez à votre enfant

le temps de continuer le processus, en ôtant ses chaussettes...

5. **Confiez-lui certains ustensiles sans danger.** Grâce à une petite bouteille en plastique ou une cuvette remplie, votre enfant apprendra à jouer avec l'eau. Avec un peu de pâte, il fera des formes différentes. Il découvrira beaucoup de choses en jouant ainsi avec des objets usuels.

Q & R

Q Qu'est-ce exactement qu'un test d'intelligence ?

R Il s'agit d'une série de paramètres censés mesurer les capacités cognitives importantes, notamment le raisonnement, la mémoire à court terme et à long terme et le discernement des formes. La performance de l'enfant sujet à ce test est comparée aux résultats moyens obtenus par un vaste échantillon d'enfants du même âge.

Q Faut-il que je fasse faire un test d'intelligence à mon enfant pour déterminer ses aptitudes ?

R Le problème de ces tests est qu'ils ne renseignent pas précisément sur la manière dont un enfant réglera un problème dans la vie quotidienne. Ils sont trop artificiels et parfois imprécis. C'est la raison pour laquelle il est préférable de continuer à stimuler jour après jour les capacités cognitives de votre enfant plutôt que de prendre rendez-vous pour lui faire passer un test.

Il hésitera peut-être au départ quand il sera confronté à ce nouveau casse-tête, mais il ne tardera pas à tirer parti de ce qu'il sait déjà pour surmonter la difficulté.

Ces expériences renforcent sa confiance en lui et le motivent. Il se sent capable de résoudre des problèmes nouveaux en adaptant et mettant en application des concepts qu'il a déjà assimilés. Incitez votre enfant à persévérer avec les puzzles simples qu'il n'arrivait pas à finir auparavant, en éliminant les pièces les plus faciles.

Les lots de formes à insérer comportent souvent certains éléments qui peuvent être mis en place par un bébé (parce qu'ils ont le même pourtour quelle que soit la direction dans laquelle on les oriente) et d'autres que seul un enfant plus grand peut maîtriser (même si à ce stade, il en a parfois assez de ce jeu !). Donnez-lui les éléments en question en écartant les plus faciles (le carré, le cercle et le triangle) et suggérez-lui de mettre les autres formes à leur place.

Persuadez votre enfant d'insérer des formes plus difficiles qu'il aura probablement ignorées jusqu'à présent.

Stimuler les apprentissages :
de 13 à 15 mois

Les nouvelles capacités de votre enfant en matière de coordination œil-main, son aptitude à gambader ici et là lui donnent suffisamment d'assurance pour explorer toute la maison. En entrant dans la cuisine un jour, vous le trouverez assis par terre en train de vider tous les récipients d'un placard. Le désordre ne le dérange pas le moins du monde. Il a tellement envie d'apprendre qu'il ne se soucie pas une seconde des conséquences de ses audacieuses explorations.

Quelques suggestions

L'imagination commence à jouer un rôle important dans la vie de votre enfant et cela provoque un grand changement

La plupart des jeunes enfants considèrent comme un grand privilège d'être autorisés à utiliser certains ustensiles pour vous imiter.

dans son esprit. Entre la naissance et 12 mois, il pensait exclusivement à ce qu'il avait devant les yeux. Si un jouet n'était pas dans son angle de vision, il ne pouvait l'imaginer et cela limitait son potentiel.

UTILISEZ SON PRÉNOM

❯ Aidez votre enfant à développer ses capacités d'écoute en l'appelant par son nom quand vous lui parlez. Si vous voulez qu'il joue avec un puzzle, au lieu de dire « Tiens, voici un puzzle », commencez par dire son nom et attendez qu'il se tourne vers vous avant d'aller plus loin.

❯ Il en va de même pour les demandes simples. Vous serez peut-être obligé de répéter plusieurs fois, comme s'il ne se donnait pas la peine d'écouter. Mais en réalité, il y a plus de chances pour qu'il n'ait pas compris que vous lui parliez avant que vous ayez fini votre phrase.

❯ En commençant par l'appeler par son nom, vous lui donnez le temps de concentrer son attention sur ce que vous lui dites.

Q Quel type de puzzle mon enfant de 15 mois devrait-il pouvoir faire ?

R À cet âge, la plupart des enfants sont incapables de venir à bout d'un puzzle classique. C'est un défi trop complexe. En revanche, ils devraient pouvoir emboîter une forme en bois plate dans l'espace qui lui correspond sur une planche prévue à cet effet, dès lors qu'elle ne comporte qu'un ou deux espaces.

Q Comment puis-je empêcher mon enfant d'être si impulsif ? Il ne prend pas le temps de réfléchir quand il joue.

R Les enfants ont des attitudes différentes vis-à-vis de l'expérience. Certains foncent, alors que d'autres prennent effectivement leur temps. La prochaine fois que votre enfant joue avec un jouet, asseyez-vous auprès de lui et bavardez avec lui. Désignez-lui le jouet, éveillez son intérêt et parlez-lui de l'objet en question. Cela le freinera et l'aidera à réfléchir davantage.

Jouets : pâte à modeler, eau et sable, formes en plastique, à insérer, petit jeu de construction, dînette, Duplos.

Entre le douzième et le quinzième mois, la pensée symbolique devient à sa portée : un objet peut en représenter un autre. Par exemple, on peut boire dans un cube en bois comme si c'était une tasse. L'imagination est un élément essentiel de l'apprentissage.

Jouez à « faire semblant » avec votre enfant. En lui lisant des histoires sur un ton animé, vous stimulerez aussi son imagination. Organisez un goûter pour ses peluches. Il s'amusera beaucoup en feignant de leur servir à boire et s'exercera du même coup à accomplir des gestes qu'il vous a vu faire. Donnez-lui des occasions de mettre en application les informations qu'il a apprises.

Prenez le cas du rangement. C'est une bonne habitude à maints égards, qui encourage votre enfant à être indépendant et responsable, et lui apprend à s'organiser. Pour mettre ses jouets en ordre, votre enfant doit passer sa chambre systématiquement en revue, se souvenir qu'il doit porter ses jouets dans la même boîte chaque fois qu'il en ramasse un et se concentrer sur sa tâche jusqu'à ce qu'il ait fini. Il adore vous aider à ranger, alors résistez à la tentation de tout faire vous-même, même si vous allez bien évidemment plus vite.

Faites participer votre enfant aux tâches quotidiennes. Si vous l'encouragez à ranger sa chambre, il le fera sûrement avec plaisir.

Par ailleurs, vous pouvez stimuler sa créativité en lui donnant un petit plateau sur lequel vous aurez disposé un mélange épais de sable et d'eau. Surveillez-le de près au cas où il ait l'idée de goûter ! Assurez-vous que la substance est assez compacte, remontez les manches de votre enfant et laissez-le y plonger les mains. Au début, il se contentera sans doute de soulever cette boue et de la laisser retomber. Une fois l'excitation initiale passée, il entreprendra peut-être de puiser dans sa mémoire et ses connaissances pour créer des formes.

Le sable et l'eau fascineront votre enfant, mais il aura besoin d'être surveillé.

⬤ Conseils malins

1. Aidez-le à tirer le meilleur parti de ses jeux. S'il crée une forme avec de la pâte, demandez-lui d'en faire une différente. S'il fait rouler sa petite voiture dans une direction, dites-lui de la pousser dans une autre.

2. Servez-vous d'une poupée ou d'une peluche pour lui désigner les différentes parties du corps. Il peut ainsi appréhender son propre corps. Indiquez-lui les parties les plus évidentes : la tête, les yeux, les mains, la bouche, les oreilles.

3. Ne faites pas pression sur lui. Poussé par le désir d'améliorer ses connaissances, vous risquez de trop attendre de votre enfant. Les défis proposés sont fonction de son âge.

4. Entraînez-le, puis faites une coupure et recommencez. Quand vous apprenez quelque chose de nouveau à votre enfant, laissez-le se concentrer quelques minutes, puis jouez à autre chose avant de revenir à la première activité.

5. Laissez-le se démener de temps en temps. Naturellement, vous n'avez pas envie que votre enfant pique une crise parce qu'un jouet ne veut pas fonctionner comme il le souhaite. Mais si vous vous empressez de lui fournir la solution à chaque fois, il n'apprendra rien. Il faut que vous trouviez l'équilibre.

161

VIE SOCIALE
ET AFFECTIVE

Le bébé et les autres :
de la naissance à 15 mois

Dès la naissance de votre enfant, sa personnalité et ses émotions commencent à se manifester. Il pleure quand il est malheureux, son regard s'anime quand il est content et il regarde autour de lui lorsqu'il s'ennuie. Vous découvrirez d'autres particularités de sa nature au cours des quinze mois suivants en jouant avec lui, en le stimulant et en essayant de l'habituer à un rythme de tétées et de sommeil régulier. Dès cette première phase, le besoin que votre enfant éprouve à se mêler aux autres se fait sentir. À mesure qu'il prend conscience de ceux qui l'entourent, il commence à rechercher leur attention.

Types affectifs

Chaque enfant a des traits individuels spécifiques. Cependant, les psychologues ont identifié trois tempéraments principaux chez les bébés. D'abord, l'enfant facile qui affronte les nouvelles expériences avec enthousiasme. Il joue gaiement avec ses nouveaux jouets, dort et mange régulièrement et s'adapte sans peine aux changements. À l'inverse, l'enfant difficile résiste à la routine ; il pleure beaucoup, met du temps à finir ses repas et a un sommeil agité.

Entre ces deux extrêmes, l'enfant dit lent a du mal à se mettre en train, est agréable mais passif. Il ne participe pas vraiment de son plein gré et attend que le monde vienne à lui. Vous noterez probablement des aspects de chacun de ces tempéraments chez votre bébé !

Personne ne sait exactement d'où viennent ces caractéristiques affectives, mais il est très probable que la personnalité et les aptitudes sociales de votre enfant soient une combinaison de particularités naturelles et de l'éducation que vous lui donnez. Il est possible aussi que le développement affectif commence pendant la grossesse.

Des études ont en effet montré que lorsqu'une femme enceinte est en colère, angoissée ou qu'elle a peur, cet état émotionnel libère dans son flux sanguin certaines hormones et substances chimiques susceptibles d'affecter le fœtus, qui s'agite alors et devient plus actif.

L'attachement

La principale influence qui s'exerce sur le développement affectif et social d'un bébé au cours de ces premiers mois n'est autre que le lien réciproque qui se forme entre lui et sa mère. Cette relation spéciale qui les unit a un impact considérable sur sa personnalité, sa stabilité émotionnelle et sa gentillesse. Le bébé a la capacité naturelle de s'attacher à elle. Il entend le son de sa voix, il peut concentrer son attention sur son visage pendant la tétée et ses pleurs lui permettent de lui exprimer ses sentiments. Il réagit d'ailleurs davantage à l'odeur du lait de sa mère qu'à celui de toute autre femme. Grâce à ces aptitudes sociales innées, l'attachement est un processus naturel pour lequel l'un comme l'autre sont prêts.

Quelques informations intéressantes méritent d'être signalées à ce sujet :

- **Cela ne se produit pas toujours à la naissance**. Si certains parents affirment aimer leur bébé dès qu'ils le voient, la plupart d'entre eux prennent plus de temps pour sentir que l'enfant est vraiment le leur : 40 % au moins de mamans parfaitement normales ont besoin de plus d'une semaine, parfois de plusieurs mois, avant d'établir un lien avec leur bébé. Vous n'avez donc aucune raison de vous inquiéter si vous n'avez pas eu le coup de foudre.

- **Ce n'est pas toujours tout ou rien**. Dans la plupart des cas, l'attachement se fait progressivement. Il faut du temps pour établir une relation, quelle qu'elle soit. On ne peut pas dire qu'on ne se sent pas proche un jour et profondément attaché le lendemain. Le rapport se construit jour après jour, mois après mois.

Des liens étroits vous aideront à comprendre
et à réagir plus aisément aux besoins de votre bébé.

À 6 mois, certains enfants ont pris l'habitude de sucer leur pouce, ce qui peut les réconforter dans les moments de détresse.

• **Le lien affectif ne se limite pas à un seul parent.** De nombreux indices prouvent qu'un bébé est parfaitement capable de s'attacher à plus d'une personne à la fois. Il peut éprouver des sentiments profonds pour sa mère, mais aussi pour son père et ses grands-parents. Chaque relation compte beaucoup à ses yeux et contribue différemment à son développement affectif et social.

Impliquez-vous !

Des liens étroits entre votre enfant et vous lui procurent un sentiment de bien-être et de sécurité ainsi qu'une base solide pour établir des relations sociales futures ; il apprend à faire confiance aux autres. Pour vous aussi, cet attachement est important car grâce à lui, vous vous sentez bien dans votre peau de parent. C'est un sentiment merveilleux de savoir que votre bébé vous aime et se sent en sécurité avec vous.

Vous pouvez faire beaucoup pour favoriser ce développement psychologique essentiel. Essayez surtout d'être détendu quand vous êtes avec votre enfant afin que vous puissiez apprécier mutuellement votre compagnie. Prendre soin de lui est bien sûr une tâche exigeante et vous avez sans doute l'impression de ne pas avoir une minute à vous. Vous avez peut-être même des doutes sur vos capacités en tant que parent. Souvenez-vous toutefois que votre bébé sera plus à l'aise avec vous s'il vous sent bien avec lui.

Le contact physique joue un rôle important dans le développement affectif et social de votre enfant. Il raffole des câlins, que ce soient les vôtres ou ceux d'une autre personne proche de lui. Il y a quelque chose de très spécial dans le fait d'être tenu tendrement dans les bras d'un adulte. La proximité, la chaleur et le contact d'un corps renforcent sa satisfaction et sa confiance en lui.

De la naissance à 3 mois

Âge	Quelles sont ses capacités ?	Comment le stimuler ?
1 semaine	❯ Il aime être près de vous autant que possible, et quand votre visage est proche du sien, il arrête ce qu'il fait pour vous regarder.	❯ Soutenez la tête de votre enfant d'une main, son dos et ses épaules de l'autre en l'orientant face à vous. Puis approchez peu à peu votre visage à 15-20 cm du sien. Dès qu'il commencera à vous reconnaître, il s'agitera sous l'effet de l'excitation.
1 mois	❯ La tétée n'est plus seulement une source de nourriture, mais aussi l'occasion d'être proche de vous et de se sentir satisfait.	❯ Parlez doucement à votre bébé quand vous le nourrissez. Il tournera aussitôt son attention vers vous et vous regardera dans les yeux. Il continuera à vous dévisager même s'il cesse de le faire quelques instants pendant son repas.
2 mois	❯ Il vous a fait son premier sourire. C'est la preuve évidente de son aptitude à s'amuser et à prendre plaisir aux relations sociales.	❯ Obtenir un sourire de votre bébé, généralement à partir de l'âge de 6 semaines, dépend de sa personnalité. Cependant si vous lui adressez un sourire radieux, il y a des chances qu'il vous réponde !
3 mois	❯ Votre bébé réagit beaucoup plus aux adultes qui lui manifestent de l'intérêt et son besoin d'attention est évident maintenant.	❯ Vous remarquerez que votre enfant pleure souvent quand il est seul et s'interrompt à l'instant où vous venez voir ce qu'il y a. Il passe brusquement des larmes au rire, de la tristesse à la joie dès que son besoin de compagnie est satisfait.

Vie sociale et affective

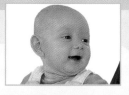

Âge	Quelles sont ses capacités ?	Comment le stimuler ?
4 mois	❯ Votre bébé a recours aux moyens de communication non verbale dont il dispose pour vous inciter, vous ou un autre adulte proche, à passer du temps avec lui.	❯ Observez bien votre bébé quand vous jouez avec lui. Ses gestes animés et ses expressions ravies ont deux fonctions : ils vous indiquent qu'il est content et vous encouragent à continuer à jouer avec lui.
5 mois	❯ Il s'est attaché à une peluche et tient à l'avoir près de lui quand il s'endort.	❯ Votre enfant a probablement un doudou, sa peluche préférée, ou bien sa couverture qu'il tient quand il s'endort. Il se blottit contre cet objet qui le réconforte et lui procure un sentiment de sécurité.
6 mois	❯ Vers cette période, votre bébé manifestera sans doute les premiers signes de timidité et d'anxiété en société quand il se rend compte qu'il est en présence d'une personne qu'il ne connaît pas.	❯ Si vous êtes au supermarché avec votre bébé et qu'une personne inconnue vous adresse la parole, il se peut que votre bébé se penche vers vous et éclate en sanglots. Même s'il retient ses larmes, il recherche votre protection.
7 mois	❯ Il n'a aucun mal à vous communiquer de plus en plus ses sentiments, tant négatifs que positifs.	❯ Essayez de lui prendre un jouet pendant qu'il joue. Sa réaction initiale consistera à vous résister, en s'agrippant au jouet par exemple. Si vous parvenez à vous en emparer, il sera furieux contre vous et piquera une colère.

De 8 à 15 mois

Âge	Quelles sont ses capacités ?	Comment le stimuler ?
8 mois	› Plus sûr de lui et davantage conscient des autres, votre bébé peut prendre l'initiative de contacts avec des adultes même s'il ne les connaît pas très bien.	› Bavardez avec un ami en présence de votre enfant. Il cherchera peut-être à attirer votre attention en tendant un jouet à l'un de vous. C'est sa manière de dire : « Je voudrais qu'on joue ensemble ». Il s'attend à ce que vous le fassiez.
9 mois	› Les bébés de son âge commencent à l'intéresser même s'il ne peut pas leur parler ni même jouer avec eux.	› Asseyez votre bébé à côté d'un autre enfant de son âge. Il le dévisagera d'un air fasciné et tendra peut-être la main pour le toucher, pointer son doigt sur lui ou le tirer jusqu'à ce que l'autre se plaigne de cette attention dont il se passerait bien.
10 mois	› Il se rend mieux compte de la signification affective des câlins maintenant qu'il peut en donner en plus d'en recevoir.	› Faites-lui un câlin. Grâce à sa meilleure coordination œil-main et parce qu'il comprend mieux l'impact qu'il a sur vous, il vous rendra votre étreinte. L'affection est désormais réciproque. Il ne se contente plus d'être passif.
11 mois	› Dès qu'on lui résiste, il se rebiffe et pique facilement une colère.	› Observez très attentivement les réactions de votre enfant quand il joue avec un jeu compliqué ou que vous lui refusez quelque chose. Il ne lui faut que quelques secondes pour passer du calme à la fureur à cet âge.

Vie sociale et affective

Âge	Quelles sont ses capacités ?	Comment le stimuler ?
1 an	› Il adore les jeux ou toute activité nécessitant des échanges avec vous. Le lien social compte plus que l'activité en soi.	› Les comptines le font beaucoup rire. Il apprécie aussi beaucoup les jeux comme « La petite bête qui monte » ou « Au pas, au trot, au galop » qui nécessitent un contact étroit avec vous.
13 mois	› S'il dépend encore entièrement de vous pour satisfaire ses besoins au quotidien, son désir d'indépendance naturel commence à se manifester.	› Quand vous l'habillez ou le changez, laissez-le participer s'il le désire. S'il tend les bras quand vous approchez son pull, donnez-lui un gros bisou pour lui montrer que vous êtes content. Faites-le chaque fois qu'il essaie de vous aider.
14 mois	› Il a plus confiance en lui, mais risque d'avoir peur des gens qu'il ne connaît pas, même si vous êtes près de lui.	› Donnez-lui l'occasion de rencontrer d'autres enfants de son âge, mais restez auprès de lui. Il sera peut-être très content jusqu'à ce qu'un autre bébé s'approche de lui. Cela le terrifiera probablement et il essayera de se cacher derrière vous.
15 mois	› Sa détermination se manifeste quand il tente de vous imposer son autorité. Les crises de colère sont fréquentes chez les enfants de cet âge s'ils n'obtiennent pas ce qu'ils veulent.	› Il faut vous montrer très calme et patient avec votre enfant pour parvenir à lui imposer des limites. Dès qu'il comprendra que vous lui avez dit « non » et que c'est sérieux, il piquera une colère dans l'espoir de vous forcer à changer d'avis.

Stimuler la vie sociale et affective :
de la naissance à 3 mois

Au cours de ces premiers mois, votre bébé et vous avez besoin de temps pour apprendre à vous connaître. Vous comprendrez peu à peu le sens de ses pleurs, de ses expressions, de ses mouvements et il découvrira progressivement la signification de vos intonations, de vos gestes. Un développement affectif et social satisfaisant passe impérativement par l'établissement d'une relation affectueuse entre vous.

Quelques suggestions

Pour votre bébé, l'essentiel est que vous, sa mère, soyez détendue en sa compagnie. C'est plus facile à dire qu'à faire, bien sûr. Vous pouvez vous sentir parfois dépassée par les événements lorsque vous avez passé vos journées à le nourrir, le changer, le baigner. Si les choses ne se déroulent pas exactement comme prévu, parce qu'il refuse de manger ou qu'il pleure sans raison apparente, il y a des chances que vous soyez anxieuse.

Les contacts physiques étroits rassurent le nouveau-né.

Si vous avez plaisir à le faire, allaiter votre enfant peut vous procurer un grand moment d'intimité.

Cependant, si vous êtes tendue, énervée, il ne tardera pas à éprouver la même chose. Faites l'effort d'être décontractée en sa présence. Cela en vaut la peine.

Pour forger une relation étroite avec votre enfant, apaisez-le quand il vous semble perturbé. Un bébé peut pleurer pour toutes sortes de raisons, parce qu'il a faim, mal, qu'il se sent seul ou fatigué : et il n'est pas toujours facile de déterminer la cause de son inconfort. Il ne peut évidemment pas vous parler de ce qui le tracasse, mais efforcez-vous tout de même de le tranquilliser.

Vous aurez bientôt tout un arsenal de stratégies pour le calmer : les câlins, une couverture chaude et moelleuse, une musique douce, un petit tour en voiture, un jeu.

● Conseils malins

1. Ayez confiance en vous. Dites-vous que vous êtes une super-maman ou un super-père. Soyez sûr de vous et calme avec votre enfant. Vous aurez de plus en plus d'assurance avec l'expérience.

2. Échangez des regards avec votre bébé. Il adore quand vous le regardez dans les yeux, car votre attention lui donne confiance en lui. Cela lui apprend aussi à regarder les autres quand on lui parle. Une bonne habitude à prendre !

3. Montrez-lui que vous vous intéressez à lui. Il a besoin de sentir qu'il compte à vos yeux et le meilleur moyen de le lui prouver consiste à lui manifester beaucoup d'attention, à lui parler le plus tendrement possible, à lui sourire et à le serrer souvent dans vos bras.

4. Tâchez d'établir un emploi du temps régulier. Ses besoins en matière de nourriture et de sommeil changent rapidement pendant cette période et il est parfois difficile d'instaurer un rythme constant. Cependant, la plupart des enfants sont plus calmes dans la routine.

Q Si je cède à mon bébé chaque fois qu'il pleure, est-ce que je l'encourage à chercher constamment l'attention ?

R Un bébé qu'on laisse pleurer risque de se sentir seul et abandonné. Après tout, c'est sa manière à lui de communiquer avec vous. Quand il sera un peu plus grand, vous déciderez peut-être d'attendre un moment avant de réagir, mais à cet âge, s'il pleure, c'est qu'il a besoin de vous.

Q À quel âge mon bébé est-il censé s'être attaché à moi ?

R Cela dépend entièrement de lui et de vous, et cela ne se produit pas à un moment précis. Des recherches psychologiques ont néanmoins démontré qu'un enfant qui n'a pas établi de liens solides avec un adulte affectueux vers l'âge de 4 ans a des chances de rencontrer des difficultés sur le plan social dans la vie.

Jouets : peluches, hochets, boîte à musique, portique d'éveil.

Le succès de ces différentes techniques variera de semaine en semaine, selon son humeur. Donnez-vous la peine en tout cas de trouver le moyen de l'apaiser.

Vous pouvez aider votre enfant à développer ses aptitudes sociales en laissant d'autres adultes le prendre dans leurs bras. Certes, il s'habitue vite à vous, à votre chaleur et votre odeur, et cela le satisfait. Mais rien ne vous empêche de le confier quelques instants à des parents ou des amis venus vous rendre visite.

Cela ne menace en rien l'intégrité de vos liens avec lui et il deviendra plus sociable. Un câlin de sa grand-mère ou de votre meilleure amie lui fera plaisir, même s'il préfère être dans vos bras. Il s'habitue ainsi aux autres dès son plus jeune âge. C'est la base de ses relations sociales futures.

En embrassant votre bébé, en lui parlant et en le câlinant, vous apprendrez à être calme et détendue avec lui.

Stimuler la vie sociale et affective : de 4 à 6 mois

Les aptitudes sociales de votre bébé s'améliorent à mesure que son désir de se mêler aux autres augmente. Il est davantage conscient des gens qui l'entourent et emploie les moyens de communication à sa disposition pour entrer en contact avec eux. Leur attention le ravit. En dépit de son goût pour la compagnie, il manque encore de confiance en lui sur le plan social. Il se mettra peut-être à pleurer dès qu'il aperçoit une personne qu'il ne connaît pas.

Quelques suggestions

Réagissez avec enthousiasme quand il cherche à communiquer avec vous. S'il sourit ou émet des sons dans le but d'attirer votre attention, jouez avec lui. Rendez-lui la pareille ! S'il vous sourit, souriez-lui en retour. S'il vous tend un jouet, faites de même. Cela favorise sa sociabilité.

Un bébé de 4 mois est très dépendant de vous pour s'amuser et ne jouera sans doute seul que durant de brèves périodes.

UNE PERSONNALITÉ DÉJÀ BIEN ÉTABLIE !

La sensibilité et le tempérament varient considérablement d'un enfant à l'autre. Votre bébé fait peut-être partie de ceux qui expriment leurs émotions avec emphase : il se met à hurler dès que quelque chose ne va pas et geint la plupart du temps. Il se peut aussi qu'il soit d'humeur égale, s'accommode de tout et affronte calmement les petits défis de l'existence.

Quelle que soit la nature de votre enfant, vous verrez que vous aurez vite fait de vous y adapter. Des études psychologiques ont montré que les principaux traits de la personnalité présents au cours de ces premiers mois sont généralement stables et se maintiennent tout au long de l'existence.

Q Faut-il que je joue avec mon bébé de 5 mois quand il se réveille la nuit ?

R Vous devez le rassurer bien sûr, mais si vous faites de ces réveils nocturnes un agréable moment de jeu, vous risquez de l'encourager à se réveiller plus souvent. Il serait plus judicieux de le calmer, de le réconforter, puis de le laisser se rendormir.

Q Est-ce vrai que les petits garçons sont plus difficiles à gérer que les petites filles ?

R Les données scientifiques qui le confirment sont rares, mais il est vrai qu'en règle générale les bébés de sexe masculin sont plus entreprenants, peut-être parce que leurs parents acceptent plus facilement ce comportement de leur part et le découragent chez les petites filles.

Jouets : miroir à poignées pour enfants, petits cubes en plastique avec un récipient, livres en tissu ou en plastique, petite balle molle.

Il y aura des moments où il sera content de jouer tout seul, surtout à l'approche de ces 6 mois, mais pour l'instant il a besoin de beaucoup d'attention.

Cela ne veut pas dire que vous devez être auprès de lui chaque seconde de la journée. Pour se développer sur le plan social et affectif, votre enfant doit aussi devenir indépendant et savoir se débrouiller sans vous par moments. Si vous vous précipitez chaque fois qu'il vous appelle parce qu'il s'ennuie, il n'apprendra jamais à s'amuser tout seul. Entre 4 et 6 mois, arrangez-vous pour qu'il passe du temps à jouer dans son lit sans personne. Il deviendra plus autonome.

Son désir naturel d'explorer, allié à une meilleure coordination œil-main et à des mouvements plus précis, lui offre toute une nouvelle gamme de découvertes. L'inconvénient est qu'il risque de se mettre

À cet âge, les bébés s'intéressent aux autres enfants, mais cette fascination est de courte durée.

dans des situations difficiles ou angoissantes pour lui, par exemple s'il rampe derrière un canapé et se retrouve bloqué contre le mur, ou s'il parvient à attraper un bibelot qui lui tombe ensuite sur la tête. De tels épisodes peuvent le déstabiliser et le rendre plus craintif.

Si cela se produit, redonnez-lui confiance en lui. Rassurez-le, calmez-le, essuyez ses larmes et encouragez-le à se lancer dans de nouvelles aventures. Il oubliera vite une mauvaise expérience si vous êtes là pour lui remonter le moral. S'il vous semble moins sûr de lui à cause d'un revers, aidez-le à retrouver son assurance en le soutenant et en l'encourageant.

Vers 6 mois, le bébé commence à comprendre la notion de communication réciproque.

● Conseils malins

1. Laissez votre bébé jouer près d'autres enfants. Il ne jouera pas avec eux et se contentera sans doute de les dévisager, mais il s'intéressera beaucoup à eux et apprendra énormément en les observant dans leurs gestes.
2. Bavardez avec d'autres gens quand il est avec vous. Il faut que votre bébé se rende compte que le langage est un élément clé des échanges sociaux. En parlant avec

les personnes que vous rencontrez, vous lui donnez un bon exemple à imiter.
3. Rassurez-le s'il est intimidé par une personne qu'il ne connaît pas. Quand il se cache parce qu'un inconnu lui parle, tenez-lui la main, cajolez-le et dites-lui de ne pas avoir peur. Vous l'aiderez ainsi à surmonter ce manque de confiance tout à fait momentané.

4. Réagissez à son sens de l'humour. Rire est un atout social. Riez de bon cœur avec votre bébé et tâchez de le faire sourire s'il a l'air sérieux.
5. Ne cédez pas quand il est grincheux. Si votre enfant est ronchon de temps en temps, continuez à lui parler et à jouer. Si vous le laissez seul lorsqu'il est de mauvaise humeur, il restera sans doute plus longtemps dans cet état.

LES DOUDOUS

❯ La plupart des bébés sont attachés à une peluche ou à une couverture qu'ils aiment avoir près d'eux. Si votre enfant a un objet qui le rassure ainsi, il l'adore même s'il est sale, déchiré ou abîmé ! Il apprécie son odeur et son contact familiers.

❯ Ce n'est pas parce que votre bébé a un doudou qu'il est peureux ou craintif. De fait, il n'y a aucun lien entre cette habitude de la petite enfance et l'instabilité émotionnelle chez l'adulte. Les études prouvent même que les enfants qui ont un doudou sont souvent plus sûrs d'eux au moment de rentrer à l'école.

Stimuler la vie sociale et affective :
de 7 à 9 mois

Désormais, votre bébé est moins passif en compagnie des autres. Il est plus ouvert et fait des tentatives pour réagir à son entourage. Bien qu'il ne parle pas encore, il babille gaiement si quelqu'un s'adresse à lui. Il fait la conversation à sa manière. Et s'il est de mauvaise humeur, il vous le fait clairement savoir !

Quelques suggestions

Attendez de lui qu'il soit plus sociable. Quand il était plus petit, vous bavardiez peut-être avec lui sans espérer de réponse. Le moment est venu de lui donner l'occasion de réagir.

Vers 6-8 mois, les bébés s'intéressent les uns aux autres et communiquent.

Quand vous lui parlez, marquez des temps d'arrêt pour qu'il vous réponde en babillant. Si vous lui posez une question, par exemple : « Veux-tu boire quelque chose ? », cherchez la réponse sur son visage, dans ses gestes et les sons qu'il émet au lieu de lui apporter aussitôt son biberon. Vos encouragements l'aideront à comprendre qu'il doit participer.

Vous devez désormais avoir des idées plus précises en matière de discipline. Souvenez-vous qu'il ne s'agit pas de contrôler votre enfant, mais de l'inciter à prendre conscience des autres et à comprendre qu'ils ont eux aussi des sentiments. Les règles de conduite favorisent sa sociabilité et l'aident à mieux se maîtriser. Cela ne veut pas dire qu'il fera tout ce que vous lui demandez !

À cet âge, un bébé a besoin d'être rassuré fréquemment et aime savoir que vous n'êtes pas trop loin.

Conseils malins

1. Montrez à votre enfant que vous l'aimez. Des démonstrations d'affection régulières lui donnent confiance en lui. La moindre preuve d'amour que vous lui témoignez le ravit et il réagit en se montrant agréable à votre égard.

2. Assurez-vous qu'il réussit ce qu'il entreprend. Le succès favorise son bien-être et son assurance. Il sera très fier de lui s'il parvient à faire un puzzle simple ou encore à porter une cuiller à sa bouche.

3. Faites-lui rencontrer d'autres enfants. Il n'est pas encore prêt à jouer avec eux (et ce n'est pas non plus pour demain), mais cela ne l'empêche pas de s'amuser en leur présence. Ces expériences stimulent son enthousiasme pour la vie sociale.

4. Ne lésinez pas sur les compliments. Vos louanges et votre approbation comptent beaucoup pour lui. Cela l'encourage à persévérer tout en favorisant son amour-propre.

5. Faites appel à un baby-sitter pour pouvoir sortir sans lui. Outre tout le bien que cela vous fera, c'est une bonne chose pour votre enfant de s'habituer à ce que quelqu'un d'autre s'occupe de lui. Il s'adaptera vite à cet arrangement temporaire.

Dès l'âge de 8 mois, les bébés aiment avoir leurs habitudes et sont tout excités lorsqu'ils assistent à la préparation d'une activité qu'ils aiment bien, le bain par exemple.

Q Mon bébé a 8 mois, mais il pleure encore très facilement. Comment faire pour qu'il soit plus résistant ?

R S'il pleure souvent, c'est probablement pour attirer votre attention. Ignorez ses pleurs de temps en temps, sauf si vous êtes sûr que quelque chose ne va pas. Ses accès de larmes seront peut-être moins fréquents quand il se rendra compte qu'ils ne produisent pas l'effet escompté.

Q Faut-il laisser mon bébé de 9 mois continuer à sucer sa tétine ?

R C'est à vous d'en décider. Le pire risque qu'un enfant court s'il a encore une tétine à cet âge, c'est une mauvaise hygiène. Il la jette probablement par terre à tout moment et la ramasse pour la mettre aussitôt dans sa bouche, ce qui le rend vulnérable aux microbes. Faites de votre mieux pour que sa tétine soit propre.

Jouets : boulier, anneaux en plastique, anneau pour bébé qui perce ses dents, petit animal en peluche, jouet à ressort, livre d'images en carton.

Il sait parfaitement ce que « non » veut dire et piquera peut-être une colère si vous lui résistez. C'est une réaction normale et saine. Vous l'aiderez à contrôler ses humeurs dès cet âge en le calmant, sans lâcher prise pour autant. Ne cédez pas à ses protestations. Il apprendra ainsi à modifier son comportement et à se montrer plus sensible envers les autres.

Un rythme de vie régulier contribue au développement affectif d'un enfant à cet âge. Les repas à heures fixes et une heure de coucher raisonnablement constante lui permettent de structurer sa journée, ce qui favorise son sentiment de sécurité et de bien-être.

Vous vous apercevrez que votre bébé apprécie la familiarité des activités qui précèdent son bain ou son repas par exemple, parce qu'elles lui permettent de prévoir ce qui va arriver. Il sourira en vous voyant sortir sa serviette de bain du placard ou ranger ses jouets. Grâce à la routine, il se sent en sécurité. Il faut savoir être souple, bien sûr, mais en règle générale, les habitudes sont propices à l'enfant.

Stimuler la vie sociale et affective :
de 10 mois à 1 an

Sa personnalité est plus affirmée et vous êtes désormais en mesure de prévoir son comportement dans la plupart des situations. Maintenant qu'il est plus conscient du monde qui l'entoure, toutefois, son envie de se mêler aux autres est temporairement refroidie. Son attachement à vous est plus fort et il est un peu moins sociable qu'auparavant.

Quelques suggestions

À cet âge, l'enfant se sent généralement très en sécurité avec ses parents ; il est aussi plus conscient de la présence d'inconnus.

Vers l'âge de 1 an, il devient plus facile pour votre enfant de partager jeux et activités avec les autres membres de sa famille.

DÉJÀ AMBITIEUX !

Bien qu'il se cramponne à vous et craigne les gens qu'il ne connaît pas, votre enfant est très ambitieux et croit fortement en ses capacités. Aucun défi n'est insurmontable à ses yeux une fois qu'il a décidé de s'y atteler.

En réalité, ses ambitions dépassent ses aptitudes et cela veut dire que vous risquez d'être confronté à des crises de larmes et de frustration plus nombreuses. Par exemple, il est très malheureux lorsque les coussins du canapé sont trop en hauteur pour qu'il puisse les attraper, ou quand la poignée de la porte est si haut perchée qu'il n'arrive pas à la tourner. Il a besoin de votre réconfort quand ces objectifs lui échappent.

Q Faut-il le laisser prendre la cuiller pendant les repas, même s'il en met partout ?

R S'il en met partout, c'est parce qu'il n'est pas encore capable de se servir convenablement d'une cuiller. Le seul moyen d'apprendre, c'est de s'exercer. Essayez de ne pas réprimer son désir d'indépendance. Laissez-le tenir la cuiller au moins de temps en temps.

Q Mon enfant de 11 mois pleure à chaque fois que je le laisse avec sa baby-sitter. Serait-il préférable que je parte en catimini quand il est occupé ailleurs ?

R Cette stratégie marchera peut-être au début, mais votre enfant comprendra vite et commencera à s'inquiéter, même si vous n'avez pas l'intention de filer. Mieux vaut lui dire « au revoir », lui faire un câlin, le rassurer et partir.

Jouets : boîte à musique, cassettes de chansons, cubes de construction en plastique, jouets pour le bain, jouet à ressort, miroir.

Ces deux tendances font que, paradoxalement, s'il est heureux de jouer avec vous, il s'inquiète davantage en présence de gens qu'il ne connaît pas, même s'il était plus audacieux socialement ces derniers temps. S'il se cramponne à vous, ne vous énervez pas. Cette dépendance affective toute nouvelle passera dans quelques mois. Vous devez être patient et le soutenir pour le moment.

Continuez à l'encourager à jouer en présence d'autres enfants et à faire appel à un baby-sitter si nécessaire : mais attendez-vous à ce qu'il soit un peu plus « crampon » qu'auparavant. S'il pleure quand vous vous apprêtez à sortir alors qu'il ne réagissait pas avant, rassurez-le au mieux et allez-y. Vous pouvez toujours passer un coup de téléphone quelques minutes plus tard pour vous assurer qu'il s'est calmé.

Si vous l'emmenez voir d'autres enfants, vous vous apercevrez qu'à l'occasion il s'approche de l'un de ses petits compagnons pour lui prendre son jouet des mains. Il ne le fait pas méchamment. C'est juste qu'il n'est pas assez grand pour se rendre compte de l'effet que cela peut avoir sur l'autre enfant. Si le bébé éclate en sanglots sous le choc, il le dévisagera d'un air intrigué sans parvenir à établir un rapport entre ses larmes et le jouet qu'il lui a pris.

Paradoxalement, alors que votre enfant devient plus autonome, il risque de vous « coller » davantage dans la mesure où il s'identifie à ses parents et accepte moins bien les inconnus.

Réagissez calmement mais fermement dans ce genre de situations. Souvenez-vous que le développement affectif et social de votre enfant passe par une sensibilité accrue vis-à-vis des désirs et des sentiments des autres. Il apprend petit à petit qu'il ne vit pas dans un vide social et que son comportement a un impact sur son entourage. Reprenez-lui le jouet en lui disant clairement, mais sans vous énerver, qu'il ne doit pas prendre ainsi les jouets des autres, et rendez l'objet à son propriétaire. Votre bébé protestera et essayera peut-être de vous faire changer d'avis, mais ne cédez pas !

Encouragez-le d'ores et déjà à avoir de bonnes manières. Expliquez-lui par exemple en termes simples que c'est « chacun son tour ».

● Conseils malins

1. Suivez toujours les mêmes « rites » quand vous laissez votre enfant aux soins de quelqu'un d'autre. Répétez les mêmes gestes pour lui dire « au revoir », l'embrasser, etc., et encouragez-le à faire pareil.

2. Montrez-lui comment il doit se conduire. Ne corrigez pas votre enfant continuellement. Il apprendra mieux à bien se comporter si vous lui dites ce qu'il faut faire au lieu de le gronder à chaque fois qu'il ne fait pas ce qui convient.

3. Amusez-vous avec lui. Passer toute la journée avec un bébé est parfois très astreignant, mais sa sociabilité et sa confiance en lui s'amélioreront s'il vous sent détendu, si vous riez et souriez en sa compagnie. Il se sentira aussi plus en sécurité.

4. Soyez fier à chaque pas franchi. Votre enfant a besoin que vous l'encouragiez constamment à progresser, mais vous devez lui montrer que vous êtes content de ce qu'il a accompli jusqu'à présent. Félicitez-le de ce qu'il a déjà réussi à faire avant de passer à l'étape suivante.

5. Rassurez-le en société. Réconfortez votre enfant en lui parlant d'un ton rassurant, en le prenant dans vos bras si nécessaire, en lui donnant toutes sortes d'occasions de voir du monde et en le félicitant s'il s'en sort sans larmes !

LES PEURS

⬩ Les enfants de cet âge sont particulièrement déterminés et difficiles ; ils se montrent parfois étonnamment sûrs d'eux. C'est aussi le moment où de petites peurs commencent à faire leur apparition. De fait, les recherches confirment qu'à partir de l'âge de 1 an, la plupart des enfants se découvrent au moins une peur, que ce soit les chiens, les chats, les insectes ou les guêpes.

⬩ Si votre enfant manifeste une peur quelconque, évitez d'en faire toute une histoire. Vous le rendriez encore plus craintif. Restez calme, dites-lui que tout ira bien et continuez vos activités comme si de rien n'était. Votre attitude l'apaisera. En étant détendu, paisible, vous l'aiderez à surmonter sa peur.

Stimuler la vie sociale et affective : de 13 à 15 mois

Votre enfant risque d'être plus difficile à gérer au début de sa deuxième année. Il s'efforce de se débrouiller davantage tout seul et n'est pas du tout content quand vous lui imposez des limites. Les crises de colère sont fréquentes s'il n'obtient pas ce qu'il veut. Les autres l'intéressent et il dévisagera sans gêne toutes les personnes qui attirent son attention.

Quelques suggestions

Emmenez-le autant que possible avec vous quand vous sortez. Les gens le fascinent et il adore les observer. Si quelqu'un éveille sa curiosité, il s'en approchera peut-être et collera son visage aussi près que possible du sien, que ce soit dans un supermarché ou chez des amis. Dans ce cas, ramenez-le près de vous et dites-lui qu'il ne faut pas fixer les gens (même s'il ne comprend pas vraiment ce que cela veut dire).

Votre enfant est ravi par l'attention que lui portent d'autres gens qu'il connaît bien, ses grands-parents par exemple.

Attendez-vous à des crises si votre enfant n'obtient pas ce qu'il veut. Cela fait partie de sa volonté d'autonomie. Acceptez-le.

Il apprendra petit à petit que certains comportements ne sont pas admis en société.

Votre enfant est de plus en plus conscient de sa personne. Il sait qu'il est un individu, avec ses goûts, ses aversions, ses forces et ses faiblesses, et c'est un des éléments clés de son développement affectif. Une méthode facile, utilisée par les psychologues pour évaluer l'image qu'un enfant a de lui-même, consiste à le laisser jouer avec un miroir. Une fois qu'il a examiné son reflet, détournez son attention quelques secondes en lui proposant une autre activité.

Conseils malins

1. **Donnez-lui des conseils en matière de comportement social.** Il a besoin que vous lui montriez les bonnes manières : passer le ballon, dire bonjour quand on rencontre quelqu'un, etc. **2.** **Félicitez-le s'il se conduit bien en société.** Quand votre enfant a une attitude positive avec les autres, faites-lui un câlin pour lui montrer que ce comportement vous fait plaisir.

3. **Ne le laissez pas se dérober à ses peurs.** Votre enfant n'apprendra jamais à les surmonter si vous lui permettez de les éviter systématiquement. Tenez-vous en à votre programme en dépit de sa peur plutôt que d'organiser sa vie autour.

4. **Réglez les problèmes de jalousie à mesure que ceux-ci se présentent.** Votre enfant vous en voudra peut-être si vous accordez votre attention à un autre enfant. Il est envieux parce qu'il n'aime pas vous partager. Parlez-lui jusqu'à ce qu'il se calme, puis continuez à bavarder avec les autres.

5. **Dînez de temps en temps avec votre enfant.** Essayez de l'inclure à l'occasion quand vous prenez votre repas du soir en famille. Il apprécie l'aspect social d'un dîner familial.

Q Mon fils hurle si j'éteins la lumière avant qu'il s'endorme. Que faut-il faire ?

R Installez un variateur de lumière dans sa chambre. Sans rien lui dire, baissez petit à petit la lumière soir après soir. Vous verrez qu'au bout de trois ou quatre semaines, il s'endormira dans le noir.

Q Notre enfant de 14 mois insiste depuis quelque temps pour jouer seulement avec moi et pas avec mon conjoint. Est-ce normal ?

R Les enfants s'attachent périodiquement davantage à un parent plutôt qu'à un autre, mais ces épisodes sont temporaires. Faites en sorte que votre conjoint joue avec votre enfant, lui donne son bain, son repas, etc., même s'il préfère votre compagnie. Cela contribuera à maintenir des liens étroits avec vous deux.

Jouets : livre d'images en plastique, puzzles simples à encastrer, jouet que l'on tire, miroir pour enfants, pastels et papier, cubes de construction en plastique.

Pendant que vous le distrayez ainsi, faites une marque discrète sur son front (avec du rouge à lèvres par exemple), sans qu'il s'en aperçoive. Puis présentez-lui à nouveau la glace.

Si votre enfant est suffisamment conscient de son image, il se touchera le front approximativement à l'endroit de la marque parce qu'il sait que c'est son reflet et qu'il a cette trace sur le visage. La moitié environ des enfants de 15 mois portent la main à leur front, contre trois quarts des enfants de 2 ans et pour ainsi dire tous ceux de 3 ans. Encouragez votre enfant à prendre conscience de lui-même en l'appelant par son prénom à chaque fois que vous lui parlez. Il sait que ce mot ne concerne que lui, et que vous faites référence à lui exclusivement quand vous le prononcez en le regardant.

Vous l'aiderez aussi en lui apprenant petit à petit les parties du corps, les mains, les pieds, les yeux, le nez, etc. Il est beaucoup trop jeune pour les dire lui-même, mais il peut commencer à comprendre.

Les enfants de cet âge ont besoin de se dépenser et sont enchantés si vous participez de temps en temps à leurs exercices.

INDEX

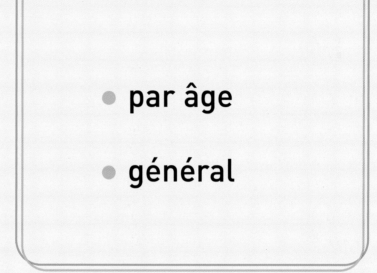

Index par âge

Index général

Remerciements

L'éditeur remercie les enfants et parents qui ont participé aux prises de vue pour cet ouvrage pour leur disponibilité, leur énergie et leur patience. Il remercie aussi les marques suivantes pour avoir mis leurs produits à disposition : All Seasons, Benetton 0-12/Modus Publicity, The Early Learning Centre, Marks and Spencer et Baby & Co.

Dépôt légal : Décembre 2008
ISBN : 978-2-01-2370937
23.26.7093.02-0
Imprimé en Espagne par Industria Grafica Cayfosa